1장.
금강천존(金剛天尊)

그러자 순식간에 주변 집들에서 백여 개 이상의 기척이 인지되었다.
식사하는 사람들의 기척, 떼를 부리는 어린아이의 기척,
연신 기침을 해 대는 노인의 기척 등
수많은 사람들의 평범한 기척이 손에 잡힐 듯이 다가왔다.

1. 나는 피가 싫네

인생은 덧없다.

삶과 죽음은 한순간의 차이에 불과하며 증오나 애정, 희망과 절망 같은 감정은 모두 허망할 따름이었다.

백노, 백염살귀만 해도 그랬다.

불과 한 시진 전까지만 하더라도 얼른 일을 끝내고 소야의 곁으로 돌아갈 생각뿐이었다.

불과 두 시진 전만 하더라도 오래간만에 성도부 육감적인 기녀들의 속살을 맛볼 생각에 아랫도리를 불끈 세우기도 했었다.

불과 사흘 전만 하더라도 그는 이렇게 소야 곁에서 얻어

맞고 사느니 차라리 죽는 게 낫다고 생각하기도 했었다.

그 백노가 사로잡힌 다음 죽기까지 걸린 시간은 불과 한 시진 가량이었다.

그것도 생전 겪어 보지 못한 온갖 고문 속에서 비명을 지르고 몸부림치며 발광하다가 몇 번이고 기절을 반복하던 끝에 결국 목숨을 잃고 말았다.

그가 담우천에게 남긴 마지막 말은 참으로 단순했다.

"제발…… 죽여 줘."

사실 담우천이 그를 죽인 건 나름대로 은혜를 베푼 것이라 할 수 있었다.

전신 피부가 다 벗겨진 채 도살장에 매달린 고깃덩어리처럼 핏물을 뚝뚝 떨어뜨리는 모습으로는, 살아 있어 봤자 결코 살아 있는 게 아니었으니까.

강만리는 수하들을 시켜 백노의 시신을 뒷산에 묻으라고 지시를 내린 다음, 다시 위청전으로 돌아왔다. 그의 발걸음은 무거웠으며, 또 그를 따르는 이들의 발걸음 또한 전혀 가볍지 않았다.

위청전 대청은 텅 비어 있었다.

"차를…… 아니, 술이 낫겠군."

강만리의 말에 늙은 하인과 시녀가 황급히 움직였다. 얼마 지나지 않아 대청 탁자 위로 술상이 차려졌다.

강만리는 아무 말 없이 술을 따랐다. 담우천도, 양위

도, 묵묵히 술을 따라 마셨다. 그렇게 몇 순배가 돌아간 후, 담우천이 술잔을 내려놓으며 입을 열었다.

"내가 너무 과하다 싶으면……."

"그게 아닙니다."

강만리가 서둘러 말했다.

"어디 시골 샌님도 아니고, 우리가 하루 이틀 사람을 죽여 봤습니까? 또 필요하다면 언제든지 고문을 할 수 있고, 수백 명을 몰살시킬 수도 있고…… 그렇게 해서 여기까지 버텨 온 게 아닙니까?"

강만리의 말에 담우천은 다시 술을 한 잔 마신 후 천천히 말했다.

"사실 나는 피가 싫네."

"으음……."

양위가 저도 모르게 얕은 신음을 흘렸다. 담우천은 상관하지 않고 계속해서 말을 이어 나갔다.

"워낙 어렸을 때부터 손에 피를 묻혀 왔으니까. 지금껏 내 손에 묻은 피의 임자만 생각하더라도 최소한 천 명은 되지 않을까 싶으니까. 정말 많이도 죽이고 또 죽였지."

"으음."

이번에는 강만리가 신음을 흘렸다.

최소한 천 명이라니, 도저히 상상조차 할 수 없는 엄청난 숫자였다.

"그러니 이제는 무감각해질 때도 되었고, 또 무덤덤해질 때도 되었는데…… 내 손에 묻어나는 피는 여전히 뜨겁고 빨갛고 쇠 냄새가 진동하네. 역겨울 정도로 지독한 냄새인 거야."

게서 말을 멈춘 담우천은 다시 술을 마셨다.

강만리는 천천히 고개를 끄덕였다.

알 수 있었다. 강만리 또한 그 뜨거운 피를, 시뻘건 피를, 그리고 쇠 냄새 진동하는 핏물의 기억을 차마 떨치지 못하고 있었으니까.

"정사대전 이후 토사구팽을 당한 내가 복수를 단념하고 대륙을 떠난 건 꼭 내 내자(內子) 때문만은 아니었네. 더 이상 피를 보기가 싫어졌으니까, 진저리가 났으니까. 이참에 모든 걸 버리고 은거하며 산속 나무꾼으로 살아가기 딱 좋은 기회였으니까. 그래서 내자의 권유를 못 이기는 척 그녀를 따라 대륙을 떠났던 것이야."

세상일은 참으로 오묘하고 엉뚱하며 기이했다. 원하는 대로, 하고 싶은 대로 할 수가 없는 게 세상일이었다.

담우천 또한 피가 싫어서 은거를 선택했지만 결국 그의 아내 자하로 인해서 다시 강호로 돌아왔고, 또 자신의 손에 수십, 수백 명의 피를 묻혀야만 했다.

문제는 그것이 아직도 진행형이라는 사실이었다.

"하지만 내 아이들과 내자들, 그리고 내 형제들을 위해서라도 나는 계속해서 손에 피를 묻혀야 하네. 얼마든지 피를 묻힐 것이고, 절대 마다하지 않을 것이야."

담우천은 말을 마친 후 술잔을 들었다.

강만리와 양위도 반사적으로 함께 술잔을 들었다. 담우천의 담담한 목소리와 무정한 말투 속에 숨겨져 있는 그 끈끈하고 뜨거운 감정이 고스란히 그들에게도 전해졌기 때문이었다.

세 사람은 누가 먼저라고 할 것 없이 연거푸 석 잔의 술을 건배하듯 동시에 마셨다.

비록 서로 아무런 대화는 나누지 않았지만 그래도 왠지 모르게 상대방의 속마음을 읽은 것 같았고, 또 내 속마음을 고스란히 보여 준 느낌이 들었다.

강만리는 마른 과일을 우물거리다가 문득 화제를 돌렸다.

"문제는 그 소야라는 친구인데……."

담우천은 멈칫거렸다가 다시 제 술잔에 술을 따랐다. 강만리는 그런 담우천의 모습을 물끄러미 바라보면서 천천히 말을 이어 나갔다.

"계집은 많으면 많을수록 좋고, 일은 적으면 적을수록 좋다고…… 우리가 자신의 종자를 죽였다는 걸 굳이 소야에게 알리거나 들킬 필요가 없겠죠."

담우천은 대답 대신 술잔을 들이켰다. 강만리는 계속해

서 말을 이었다.

"그런 의미에서 이번 일은 우리 세 사람만 아는 것으로 하죠. 굳이 다른 형제들이나 식구들에게 이야기할 것 없이 말입니다."

"동의합니다."

양위가 굳은 낯으로 고개를 끄덕이며 말했다.

"백염살귀가 우리 뒤를 쫓은 사실을 이미 알고 있는 몇몇 분들이야 어쩔 도리가 없지만, 그분들께도 철저한 함구령을 내리는 게 좋을 것 같습니다."

"알겠소. 그건 내가 하리다."

강만리는 힐끗 담우천을 바라보며 말을 이었다.

"또 그 소야라는 친구가 왜 이곳 성도부에 왔는지, 그리고 장차 우리의 동료가 될 것인지 적이 될 것인지 확실하게 알아 둬야 할 것 같습니다. 어쨌든 만에 하나, 적으로 돌릴 일이 생긴다면…… 어쩌면 오대가문을 상대하는 것보다 훨씬 더 힘들고 어려운 적이 될 수도 있으니까요."

"그럼 제가 알아볼까요?"

담우천이 말없이 홀로 술을 마시는 가운데 양위가 입을 열었다.

"아니."

강만리는 고개를 저었다.

"그 또한 내가 할 일이오. 양 당주는 그저 장원 안팎의 경비와 다른 식구들의 안위에 더욱 힘써 주시기 바라오."

"알겠습니다. 특히 아기씨, 도련님들과 가모(家母)들의 경호에 더욱 신경을 쓰겠습니다."

"고맙소."

강만리의 사의(謝意)에 양위는 문득 짓궂은 표정을 지으며 말했다.

"말씀 편하게 하시라고 몇 번이나 말씀드렸는데 아직도 고치지 못하셨나 봅니다."

강만리는 머쓱한 얼굴로 헛웃음을 흘리며 말했다.

"하하, 이 정도로 봐주시오. 하대는 영 못 하겠으니 말이오."

"그리 말씀하시니 어쩔 수 없군요."

양위는 연거푸 석 잔의 술을 들이켜고는 자리에서 일어나 강만리와 담우천을 돌아보며 두 손을 모았다.

"그럼 경호 문제를 처리하기 위해서 속하는 이만 자리를 떠나겠습니다."

"고맙소. 잘 부탁하오."

강만리의 인사를 뒤로하고 양위는 대청을 빠져나갔다.

이제 넓은 대청에는 강만리와 담우천만이 자리를 지키고 있었다.

담우천은 혼자서 벌써 두 병의 술을 비웠음에도 불구하

고 전혀 취기를 드러내지 않았다. 여전히 그의 표정은 무심했고 눈빛은 투명해서 도대체 무슨 생각을 하고 있는지 전혀 알 수가 없었다.

강만리는 머리를 긁적이고 엉덩이를 들썩거리다가 문득 길게 한숨을 내쉬며 입을 열었다.

"저도 이만 자리를 떠야 할 것 같습니다."

"응? 아, 그러시게."

담우천은 그제야 강만리를 돌아보며 희미하게 웃었다.

"안 그래도 제수씨가 기다리고 있겠군."

"허험."

강만리는 헛기침을 했다.

아닌 게 아니라 지금 강만리는 예예를 만나러 갈 작정이었다.

근 한 달여 이상 떨어져 있다가 만난 것이다. 그동안 강만리는 오롯하게 혼자였고, 수음(手淫)조차 한 적이 없었다. 그러니 온종일 예예를 부둥켜안은 채 깨물어 주고 빨아 주고 넣어 주고 해도 부족했다.

강만리는 살짝 얼굴을 붉히며 말했다.

"형님도 큰형수를 보러 가야 하지 않겠습니까?"

"아, 그래야지."

담우천은 힐끗 술병을 내려다보며 말을 이었다.

"이 술만 다 비우면 갈 터이니, 자네 먼저 가 보시게."

"그러시겠습니까? 그럼 저는 이만."

강만리는 자리에서 일어났다.

담우천은 강만리가 애써 느긋한 걸음걸이로 천천히 대청을 빠져나가는 뒷모습을 묵묵히 지켜보았다.

이윽고 대청 문이 닫혔다. 홀로 남은 담우천은 그답지 않게 긴 한숨을 내쉬었다. 그리고 반쯤 남은 술병을 들어 다시 술잔을 채우며 나직하게 중얼거렸다.

"소야, 소야라……."

2. 짧은 휴식

뜨거운 열기가 방 안 가득 맴돌았다.

달콤한 향기와 비릿한 냄새가 뒤엉켜 왠지 음탕하게 느껴지는 공기 속, 두 개의 벌거벗은 몸뚱어리가 비단뱀처럼 서로를 옭아매고 있었다.

송골송골 맺혔던 땀방울이 흐벅진 골을 타고 또르르 굴러떨어졌다. 강만리의 두툼한 손이 그 골 사이를 비집고 파고들었다.

"아휴……."

예예는 질린다는 듯한 표정을 지으면서도 살짝 다리를 벌려 강만리의 손이 그 안으로 쉽게 들어올 수 있도록 도와

주었다. 강만리의 두툼한 손가락이 꿈틀거리며 움직였다.

"휴우……."

예예의 입에서 한숨 같은 신음 소리가 희미하게 새어 나왔다. 그녀의 몸이 손가락의 움직임에 맞춰 함께 꿈틀거리기 시작했다. 그녀의 살짝 벌린 입에서 달큼한 냄새가 흘러나왔다.

강만리가 끄응, 하며 그녀의 위로 올라갔다. 그녀는 두 팔로 강만리의 거대한 등을 끌어안았다. 강만리의 육중한 몸이 거칠게 움직이기 시작했다. 침상 전체가 금방이라도 박살 날 것처럼 삐거덕거렸다.

예예의 입에서 신음이 흘렀고, 그 신음은 곧 날카로운 교성으로 바뀌었다.

예예는 소리를 죽이려는 듯, 혹은 자신을 이렇게 만든 남편에게 복수를 하려는 듯 그의 어깻죽지를 덥석 물었다.

강만리는 그녀의 몸 깊숙한 곳으로 한없이 파고들었다. 그녀는 두 팔과 두 다리로 그의 거대한 몸을 옭아맸다.

부르르!

경련이 일기 시작했다.

"어엉!"

강만리의 입에서 호랑이의 포효가 터졌다. 성난 멧돼지처럼 마구잡이로 질주하던 그의 육신이 한순간 거짓말처럼 우뚝 멈췄다.

"아흑."

예예가 미친 듯이 몸부림을 치며 한껏 그를 끌어안았다. 그녀의 몸은 활처럼 휘어진 채 모든 근육이 제멋대로 경련을 일으켰다.

이렇게 네 번째 정사가 끝나고 있었다.

"아휴."

예예가 힘겹게 입을 열었다.

"아무래도 허리가 빠진 것 같아요."

그녀는 눈을 흘기며 쫑알거렸다.

"정말 멧돼지가 따로 없다니까. 그렇게 거칠게 하는 사람이 어디 있어요?"

그렇게 타박하는 예예의 뺨은 복사꽃보다 더 붉었고 눈가는 촉촉하게 젖어 있었으며, 얼굴에는 조금 전 열락(悅樂)의 뜨거운 기운이 아직도 가시지 않은 듯 아직도 달콤한 김이 모락모락 피어오르고 있었다.

"임자는 암표범 같더구먼."

강만리는 가쁜 호흡을 애써 가다듬으며 말했다. 아닌게 아니라 그의 등과 팔뚝은 예예의 손톱에 마구잡이로 긁혀서 피투성이가 되어 있었다.

예예가 살짝 미안한 듯 혹은 부끄러운 듯 이불 속으로

얼굴을 파묻었다.

강만리는 팔을 내밀어 그녀를 끌어안으며 말했다.

"암표범에게 잡아먹히는 멧돼지라…… 확실히 하마터면 그렇게 잡혀먹을 뻔했지."

"계속 그렇게 놀릴 거예요?"

이불 속에서 예예가 강만리의 옆구리를 꼬집었다. 강만리는 몸을 틀어 그녀를 꼭 껴안으며 웃었다.

"좋아서 하는 말이네."

예예는 강만리의 품에서 벗어나려고 바동거렸다. 하지만 그것도 잠시, 그녀는 이내 품속으로 파고들더니 그의 가슴과 목 곳곳에 입을 맞추며 애무했다.

강만리는 지그시 눈을 감고 가만히 그 쾌감을 즐겼다. 부드럽고 따듯하면서 감미로운 쾌락이었다.

격정적인 쾌락과는 또 다른, 그리고 그보다 더 농밀하고 애정 깊은 쾌감이 강만리의 얼굴과 귓불, 가슴과 겨드랑이, 배와 허벅지, 심지어 발가락까지 온몸 곳곳을 관통하며 희롱했다.

강만리는 구름 위를 노니는 듯한 희열과 쾌락을 즐기다가 어느 한순간 깊은 잠에 빠져들었다. 그 어느 때보다도 깊고 편안하며 푸근한 잠이었다.

강만리가 눈을 떴을 때는 방 안 가득 어둠이 내려앉은

후였다.

"언제 잠들었지?"

강만리는 단춧구멍만 한 눈을 끔벅이며 중얼거렸다.

그랬다. 언제 잠들었는지도 모른 채 잠이 들었다. 얼마나 잔 지도 모를 정도로 푹 잠들었다. 말 그대로 활력이 넘치고 기력이 충만할 정도로 개운한 잠이었다.

하기야 그럴 법도 했다.

지난 며칠 동안 강만리는 제대로 잠 한숨 자지 못했다. 비록 직접 이리저리 뛰어다니지는 않았지만, 외려 그동안 현장을 뛰어다닌 담우천 일행들이나 정유보다 정신적인 긴장감과 피로도가 훨씬 더 컸던 강만리였다.

제대로 계획을 세운 것인지, 계획대로 사안(事案)들이 잘 진행되고 있는지, 사방 곳곳에서 동시다발적으로 펼쳐지고 있는 모든 일이 톱니바퀴 돌아가듯 딱딱 아귀가 맞아떨어지는지, 바늘처럼 모든 신경을 곤두세운 채 상황판을 지켜보고 오가는 전서구들의 보고를 기다려야 했던 강만리였다.

그중 하나라도 틀리게 된다면 그동안 진행되었던 모든 계획이 물거품으로 변하게 된다. 자칫 잘못하다가 유령교와 강만리의 획책이 들통이라도 난다면 외려 무적가와 철목가의 역공을 받게 될 수 있었다.

심지어 각각의 장소에서 모든 아군이 각개격파당하는

최악의 상황이 펼쳐질 수가 있었다.

그러니 이 모든 계획이 마무리되기 전까지, 강만리는 먹어도 먹는 게 아니었고 쉬어도 쉬는 게 아니었다.

보다 못한 이들이 가서 눈이라도 붙이라고 떠미는 바람에 침소에 누워도, 강만리는 한숨도 자지 못했다. 눈을 감으면 망막 저편으로 피와 살이 튀는 살육극이 적나라하게 그려졌던 것이다.

그런 강만리에게 있어서 지금의 토막잠은 실로 꿀보다 더 달콤했고 백년산삼보다 훨씬 더 체력을 회복시켜 주었다.

"잘 잤어요?"

예예의 부드럽고 나긋나긋한 목소리가 강만리의 주위를 환기시켰다. 강만리는 옆으로 고개를 돌렸다. 예예가 손가락으로 강만리의 가슴을 쓰다듬으며 웃었다.

강만리는 무뚝뚝한 목소리로 물었다.

"얼마나 잔 거야?"

"한 시진 정도요?"

"생각보다 훨씬 적게 잤네. 두 시진은 족히 잔 것 같았는데."

"아주 잘 자더라고요. 코까지 드르렁드르렁 골면서."

예예는 방긋 웃으며 말했다.

"식사 시간이 지났는데 깨우지 않았아요. 밥 먹는 것보다 자는 게 더 중요할 것 같아서요."

"잘했네."

강만리는 기지개를 켰다. 잠들기 전보다 훨씬 개운하고 가벼웠다. 그는 천천히 몸을 일으켜 앉으며 물었다.

"다른 사람들은?"

"글쎄요."

예예도 따라 일어나 앉았다.

덮고 있던 이불이 흘러내리며 고혹적이고 뇌쇄적인 그녀의 나신이 절반 정도 드러났다. 풍만하고 흐벅진 젖무덤이 유난히 탱탱하게 느껴졌다.

"다들 당신처럼 잠든 건지 아무런 소식이 없네요. 같이 식사하자는 이야기도 없고."

"그렇겠군."

강만리가 고개를 끄덕였다.

"그네들도 우리처럼 한 달 가까이 정사를 나누지 못했으니까. 다들 회포를 풀고 있겠지."

"아휴, 당신은 정말……."

예예의 볼이 살짝 붉어졌다.

부끄럽고 낯간지러운 일이라 일부러 이야기하지 않은 건데 강만리는 굳이 정사니 회포니 하고 운운하는 것이다.

"그나저나 배가 고프군."

강만리는 배를 만지작거리며 말했다. 예예가 침상과 방

바닥 곳곳에 떨어져 있는 옷들을 주워 챙기며 물었다.

"식사 준비를 하라고 할까요?"

"그래. 다들 와서 먹으라고 하고."

"아니, 그렇게 하지 않아도 돼요. 배고프면 다들 알아서 챙겨 먹겠죠. 괜히……."

"운우지락(雲雨之樂)을 즐기는 데 방해가 된다 이건가? 흠, 그것도 그렇군."

"아휴, 진짜."

예예는 강만리의 옷을 입히며 투덜거렸다.

"정말 체신 좀 지키세요. 사천당문 사내들은 말 한 마디, 행동 하나하나 예의바르고 품위가 넘쳐 흐르던데……."

"달리 명문가 사람들이겠나? 아, 그건 그렇고…… 석정 그 녀석은 확실히 회복할 수 있겠지?"

"그건……."

예예는 머뭇거렸다.

화평장으로 돌아오자마자 사천당문에서 있었던 일들에 대한 보고를 하기는 했었다. 하지만 백염살귀 건으로 강만리가 급히 자리를 뜨는 바람에 좀 더 깊은 이야기는 나눌 수가 없었던 상황이었다.

"당문 어르신들이 최선을 다하겠다고 약속하셨어요. 또 그걸 함께 지켜보시겠다면서 두 분 대부인들께서 그곳에 남으신 거고요."

"그러니까 확실히 회복시킬 수 있다는 약속은 하지 않은 거로군."

강만리의 목소리가 무겁게 느껴졌다. 예예는 아무 말도 할 수가 없었다.

옷을 다 걸친 강만리는 잠시 침상에 앉아서 엉덩이를 긁적이며 곰곰이 생각에 잠겼다. 그러는 동안 예예도 옷을 다 입고 그의 옆에 앉아서 가만히 머리를 기댔다.

이윽고 강만리는 길게 한숨을 쉬며 중얼거렸다.

"급해 봤자 소용없지."

예예는 그게 무슨 말인가 싶었지만 묻지 않았다.

"하나에 하나씩. 그런 의미에서 지금은 밥부터 먹자. 배가 등에 달라붙은 것 같으니까."

강만리는 예예를 돌아보며 말을 이었다.

"다른 녀석들도 다들 나오라고 해서 같이 먹자구. 자고로 식사 시간만큼은 시끌벅적해야 더 맛있는 법이니까."

"그건 맞아요."

예예도 동의했다.

하지만 식사는 좀 더 뒤로 미룰 수밖에 없게 되었다.

"일어나 계십니까, 강 장주!"

문밖에서 누군가 크게 소리쳤다. 양위의 목소리였다. 강만리는 표정을 굳히며 물었다.

"무슨 일이오?"

양위는 더욱 빠르게 말했다.

"천수호동 쪽에서 큰 싸움이 벌어졌다고 합니다!"

"천수호동?"

천수호동이라면 성도부 남쪽 빈민가였다. 그런 곳에서 무슨 싸움이…….

"반 시진 전부터 그곳에 철목가 무사들이 집결하고 있다는 보고가 있었는데, 아무래도 유령교와 철목가가 한바탕 크게 붙은 모양입니다! 금강천존도 그곳에서 목도했다는 보고가 있습니다!"

'금강천존!'

강만리의 얼굴이 굳어졌다. 그는 빠른 어조로 지시를 내렸다.

"모두 위정전으로 모이도록 전하시게."

"이미 속하들을 시켜 그리 전했습니다."

"좋아. 그럼 가지."

강만리는 자리에서 일어서다가 문득 예예를 힐끗 돌아보며 물었다.

"그런데 밥을 먹으면서 이야기를 나눠도 되겠지?"

그 뜬금없는 질문에 예예는 콧잔등을 찌푸리며 말없이 웃었다.

3. 금강천존

금강천존은 자신이 강하다는 사실을 잘 알고 있었다.

하지만 그렇다고 해서 자신을 과신하거나 적을 과소평가하지는 않았다.

그는 언제나 냉정하게 상대방을 살폈고 형세를 관찰했으며 상황을 판단했다. 몇 번을 신중하게 생각한 후 혼자의 힘만으로 충분하다 싶으면 그제야 앞으로 나섰으며, 조금이라도 불안하다 싶으면 결코 움직이지 않았다.

지금도 마찬가지였다.

그곳에 유령교의 잔당이 얼마나 있는지는 모르지만 어쨌든 금강천존은 그들을 물리칠 자신이 있었다.

그러나 결코 그는 교만하지도 오만하지도 않았으며, 혹시 있을지 모를 불상사를 경계할 줄도 알았다.

그래서 그는 호위무사들을 불러 각각 서로 다른 명령을 내렸다.

"가서 쉬고 있는 군단 아이들을 모두 불러오도록. 집결 장소는 천수호동. 내가 그곳에 당도하기 전에 미리 천라지망(天羅地網)의 포진을 구성하여 유령교의 잔당들이 아무도 도망치지 못하도록 하라."

"존명."

"너는 항 총관에게 가서 남은 병력으로 이곳 황계 지부를 감시하라고 전해라. 지부주의 말이 거짓으로 드러날 경우, 이곳의 모든 사람을 죽이고 건물을 박살 내라고 전해라."

"존명."

금강천존은 마치 왕일문에게 들으라는 듯이 큰 소리로 명령을 내렸다. 왕일문은 싱글거리며 주루 밖으로 나와 주춤주춤 모여 있던 제 수하들에게 소리쳤다.

"단 한 명도 밖으로 나가지 말고 나를 기다려라. 내가 무사히 생환하기를 기원하는 화평주(和平酒) 열석 잔을 마시면서 말이지. 하하하!"

금강천존은 가볍게 눈살을 찌푸리며 말했다.

"앞장서게."

왕일문은 고개를 숙이며 대답했다.

"그럼 따라오시죠."

왕일문은 산책하듯 유유자적한 모습으로 천수호동을 향했다. 그 뒤로 금강천존과 두 명의 호위무사가 따랐다.

왕일문은 넉살 좋게 웃으면서 금강천존에게 이런저런 대화를 유도했다.

세상 살아가는 이야기라든지, 강호 정세라든지, 요즘 잘나가는 문파나 무림인이라든지 등등 화제가 될 만한 이야기들을 시시콜콜하게 늘어놓았다.

금강천존은 느긋하게 걸음을 옮기며 왕일문의 이야기

를 들었다. 표정만 봐서는 그가 왕일문의 이야기에 흥미를 느끼는지, 그렇지 않은지 전혀 알 수가 없었다. 그저 오가는 행인들과 보조를 맞춘 채 천천히 걸어갔다.

사실 경공술을 펼치면 보다 빠르고 간단하게 천수호동에 당도할 수 있었지만, 금강천존은 전혀 서두르지 않았다. 어쨌든 그의 명령을 받은 수하들이 천수호동 일대에 천라지망의 경계망을 펼칠 때까지만 도착하면 되는 일이었으니까.

대략 밥 한 끼 먹을 정도의 시간이 흘렀을까. 이윽고 왕일문은 금강천존 일행을 천수호동으로 들어서는 골목 어귀로 안내했다.

날은 시나브로 어두워졌다.

골목에 접해 있던 조그마한 집들에서 하나둘씩 불이 밝혀졌다.

하지만 밥 짓는 연기가 굴뚝 밖으로 흘러나오는 집은 그리 많지 않았다. 아무래도 천수호동은 빈민가였고, 방금 지은 새 밥보다는 식은 지 오래된 밥으로 저녁 식사를 하는 이들이 많은 게 당연한 일이었다.

골목 어귀에는 이미 금강천존의 명령을 받고 사라졌던 호위무사와 여러 부관이 대기하고 있었다.

부관 중 선임으로 보이는 자가 금강천존을 보고는 얼른 달려와 허리를 숙이며 보고했다.

"삼백의 단원들을 오인일조(五人一組)로 구성, 열세 곳의 출입구를 포함한 천수호동 곳곳에 배치했습니다. 행여 발각될 경우를 대비하여 황계 성도 지부주가 이야기했던 그 집 주변에는 따로 인원을 배치하지 않았습니다."

"잘했다."

금강천존은 가볍게 칭찬한 후 한 걸음 앞으로 걸어가 골목 안쪽을 들여다보았다.

골목은 좁았다.

건장한 사내 두 사람이 나란히 걷기에는 무리일 정도로 좁았다. 골목 안쪽의 집들 역시 허름하고 작고 낮았다.

골목은 구절양장(九折羊腸) 같이 이리저리 꼬부라진 길이 수십 갈래로 나누어져 있어서 마치 미로와도 같았지만, 지붕 위로 올라서면 천수호동의 반대편 골목까지 훤히 내다볼 수 있을 정도였다.

'나쁘지 않다. 한 번 꼬리만 제대로 잡으면 결코 놓칠 수 없는 구조로구나.'

금강천존은 다시 선임 부관에게 말했다.

"몇 명의 잔당들이 숨어 있을지 모르겠지만 어쨌든 단 한 명도 놓치는 일이 있어서는 안 될 것이야."

"반드시 모두 사로잡겠습니다."

"사로잡는다는 것에 몰두해서 너무 무리는 하지 말고."

"존명."

대화를 마친 금강천존은 왕일문을 향해 말했다.

"그럼 안내하시게."

"존명."

왕일문은 고개를 숙이며 대답했다. 호위무사들과 부관들이 눈살을 찌푸리는 가운데 그는 당당하게 골목 안으로 들어섰다. 금강천존과 호위무사들이 그 뒤를 따랐다.

그들이 골목 안으로 걸어가는 뒷모습을 지켜보던 선임 부관이 다른 부관들에게 지시를 내렸다.

"한 열 명 정도 날랜 수하들을 추려서 따로 호위를 붙이도록 하자."

부관 한 명이 고개를 갸웃거리며 물었다.

"굳이 그럴 필요가 있겠습니까? 저들 다섯 천위(天衛)만으로도 충분할 것 같은데요."

"무력만이라면 그렇겠지. 하지만 돌발 상황에 대처하기에는 인원이 부족할지도 모른다. 게다가 우리와 언제든지 연락을 주고받으며 연계를 취할 수 있어야 하니까."

부관은 그제야 선임 부관의 말을 이해했다는 듯이 고개를 끄덕이며 말했다.

"알겠습니다. 발재간이 좋고 실력도 뛰어난 애들로 열 명 추려서 보내겠습니다."

"좋아. 그럼 나머지는 각자 맡은 구역으로 돌아가도록."

각 부관들은 선임 부관의 지시에 따라 빠르게 자리를 떴다. 선임 부관은 다시 골목으로 시선을 돌렸다. 이미 금강천존 일행은 골목 안쪽으로 사라져 보이지 않았다.

"묘하군."

선임 부관은 입술을 깨물며 중얼거렸다.

"왜 이렇게 불안한 기분이 드는지 모르겠네."

그는 불안한 감정을 떨쳐내려는 듯 고개를 휘휘 내젓고는 가볍게 휘파람을 불었다.

그리 멀리 떨어지지 않은 곳에서 대답처럼 또 다른 휘파람 소리가 들려왔다. 별 이상이 없다는 의미의 휘파람 소리였다.

휘이익! 휘익!

천수호동 골목 이곳저곳에서 휘파람 소리가 이어지고 있었다. 골목을 따라 앞장서서 걷던 왕일문의 귀가 쫑긋거렸다. 그는 뒤를 돌아보며 웃었다.

"이야, 정말 쉬지 않고 주고받네요. 이러다가 유령교 사람들이 눈치채고 도망칠 수도 있겠습니다."

금강천존도 가볍게 웃으며 말했다.

"뭐 도망칠 수 있으면 그렇게 하라고 하게. 하지만 우리 아이들이 펼친 천라지망을 뚫고 도망치는 게 그리 쉬운 일은 아닐 걸세."

"문제는 도망치는 게 아니라 숨는 거겠죠. 지하 깊숙이 숨어 버리면 이 천수호동의 수많은 집을 모두 들어내지 않는 한, 도저히 어떻게 할 수가 없을 겁니다."

"흠, 집을 모두 들어낸다라……. 그것도 한번 생각해 봄 직한 일이군."

금강천존은 어디까지나 여유가 넘쳐흘렀다. 왕일문은 어깨를 한 번 으쓱거리고는 다시 앞을 바라보고 걸었다.

꼬불꼬불한 골목은 사방팔방으로 뻗어 나갔다가 다시 하나로 모이기를 반복했다.

막힌 골목도 있었고, 어린아이가 아니면 도저히 지나갈 수 없을 정도로 좁은 골목도 있었다. 수년을 이곳에서 살았어도 한 번 헤매기 시작한다면 도저히 헤어날 수 없는 미로와 같은 골목이었다.

그 이리저리 꺾인 골목을 따라 한참을 걷던 왕일문의 발걸음이 이윽고 멈췄다. 금강천존과 다섯 호위무사들도 걸음을 멈췄다.

"저깁니다."

왕일문이 손을 들어 앞쪽 한 집을 가리키며 말했다.

"저 대문 보이시죠?"

금강천존은 눈을 가늘게 떴다. 왕일문이 가리키는 허름한 집의 대문에는 확실히 쇠로 만든 문고리가 있었다.

금강천존은 숨을 깊게 들이마셨다. 그리고 한껏 내공을

끌어올린 다음 모든 감각을 활짝 열어서 주변 모든 기척을 인지하고자 했다.

그러자 순식간에 주변 집들에서 백여 개 이상의 기척이 인지되었다.

식사하는 사람들의 기척, 떼를 부리는 어린아이의 기척, 연신 기침을 해 대는 노인의 기척 등 수많은 사람들의 평범한 기척이 손에 잡힐 듯이 다가왔다.

금강천존은 그 평범한 기척들을 하나씩 지워 나갔다. 그의 모든 신경과 정신은 오로지 저 쇠로 만든 문고리가 있는 집으로 집중되었다.

어느 한순간 드디어 제대로 된 기척들이 잡혔다.

무공을 익힌, 그것도 상승 무공을 익힌 자에게서만 느낄 수 있는 그 희미하면서도 한없이 안정된 기척들이 금강천존의 머릿속으로 전해져 왔다.

바로 유령교 놈들의 기척이었다.

2장.

안가(安家) 사람들

허 노야는 한번 위천옥의 큰 코를 납작하게 해 주는 것도
나쁘지 않다고 생각했다.
워낙 절해고도(絕海孤島)에서 세상 물정 모르고 살다 보니까,
너무 콧대가 오만해지고 눈에 뵈는 게 없어진 모양이었다.
조금은 겸허하고 겸손할 줄 알고,
노인 공경도 할 줄 알아야 할 필요성이 있었다.

안가(安家) 사람들

1. 금강심안공(金剛心眼功)

그건 천리지청술(千里地聽術)이나 천리안(千里眼) 같은 무공과는 전혀 다른 차원의 무공이었다.

지금 금강천존이 펼치는 수법은 심와(心窩)를 열고 주변 사물과 동화하여 외면의 시야가 아닌, 내면의 시야로 주변을 통찰하고 감지하는 무공이었다.

참으로 재미있게도 극(極)과 극은 통한다고 한 것처럼, 이 수법은 강만리가 십삼매로부터 받은 무공 책자를 통해서 익힌 천조감응진력(天照感應進力)과 비슷한 성질의 것, 즉 오감을 극대화하고 육감까지 동원하여 주변 보이지 않는 모든 사물까지 인지하는 무공이라 할 수 있었다.

최소한 금강천존보다 내공이 떨어지는 자들이라면, 주변에서 들리는 기척은 물론이거니와 그들의 심장 박동, 호흡과 움직임, 자세와 기운 등 그 모든 것을 감지할 수 있었다.

금강천존이 이 무공을 익히게 된 건 참으로 우연이라 할 수 있었다.

수년 전 그는 평범하게 평소처럼 자신의 거처에서 명상(瞑想)을 하고 있었다. 아무런 생각 없이 그저 자신의 심와를 한없이 들여다보고 있던 찰나, 문득 방 바깥에서 이리저리 움직이고 있던 사람들의 기척이 느껴진 것이었다.

그건 사실 금강천존 정도 되는 내공의 소유자라면 그리 놀라운 일이 아니었다. 운기조식이나 명상을 하더라도 항상 오감은 활짝 열려 있으니 얼마든지 주변의 상황을 파악할 수가 있었다.

그런데 금강천존은 평소와는 달리 거기에서 한 걸음 더 나아가 보기로 했다. 그 사람들의 맥을 느끼고 호흡이나 움직임을 파악하여 지금 무슨 일을 하는지, 어떤 상황에 처했는지도 알아보려고 한 것이다.

당시 금강천존의 집중력은 믿을 수 없을 정도로 강인했으며 섬세했다.

그의 귀에는 사람들의 심장 박동 소리가 들려왔고, 그

의 코로는 사람들의 냄새, 여인들의 향기가 고스란히 전해졌다. 누군가 달거리를 하고 있다는 것까지 알아차릴 정도였다.

또한 꼭 감은 그의 눈은 사람들의 움직임이 거짓말처럼 보였다. 사람들의 움직임 하나하나가 손에 잡힐 정도로 선명하게 느껴졌다.

하녀가 쟁반을 들고 조심스레 걷는 모습, 시녀 하나가 쪼르르 달려가는 뒷모습, 주방의 숙수가 거칠게 닭을 해체하는 모습…… 그 모든 것들이 금강천존의 굳게 감긴 망막 위로 전해져 왔다.

금강천존의 가슴이 두근거렸다.

지금 이 상황을, 자신의 이 집중력을 좀 더 강화하고 언제 어디서든 펼칠 수 있도록 제어할 수 있다면, 그건 천리안이나 천리지청술보다 훨씬 더 강력한 무공이 될 거라는 생각이 든 것이다.

이후 금강천존은 꽤 오랜 시간 동안 각고의 노력 끝에 자신만의 새로운 수법을 완성하게 되었다. 그는 그 수법을 가리켜 금강심안공(金剛心眼功)이라 명명하였고, 자신이 새로운 무공을 창안했다고 여겼다.

물론 사마외도의 누군가가 먼저 천조감응진력이라는 괴상망측한 무공을 만들었다는 사실을 알게 된 후 크게 낙담한 건 그리 중요한 일이 아니리라.

* * *

금강천존은 지그시 눈을 감았다.

훨씬 더 기척이 뚜렷해졌다. 한 명, 두 명…… 집 안쪽으로 들어갈수록 그 안정된 기척의 수가 점점 더 늘어났다.

금강천존은 집의 가장 깊숙한 공간을 살피기 시작했다. 안으로 들어갈수록 점점 더 강하고 거대한 기척이 느껴졌다.

'유령교 잔당의 수좌들인 거겠지.'

금강천존은 눈을 감은 채 가볍게 고개를 끄덕였다.

제대로 찾아왔다. 놀랍게도 혹은 믿을 수 없게도 황계지부주가 거짓말을 하지 않고 그들을 유령교의 은신처까지 제대로 안내한 것이다.

금강천존은 더욱 정신을 집중했다. 지금부터 확인하고 인지하는 기척들이야말로 유령교의 수뇌급 인사들일 터, 그 전력(戰力)이 어느 정도인지 최대한 정확하게 가늠해야 했다.

일순 금강천존의 눈썹이 꿈틀거렸다. 여느 기척들과는 차원이 다른 기척이 느껴졌던 게다.

조그만 체구의 기척이었지만 마치 거대한 호랑이가 사냥감을 노리고 잔뜩 몸을 웅크린 채 수풀에 숨어 있는 듯한 포악함과 흉포함, 잔인한 기세가 서리서리 뿜어져 나오고 있었다.

'유령교 잔당들 중에서 이 정도로 강렬한 무형의 기운을 내뿜는 자가 있다니…….'

금강천존의 이마에 식은땀이 맺혔다.

강자다. 그것도 금강천존 자신에 필적할 만한 절정의 고수. 어쩌면 유령교의 최고 실세이거나 아니면 공적오마 중 한 명이자, 유령교의 교주인 유령신마(幽靈神魔) 본인일 가능성도 없지 않았다.

'다른 자들은 몰라도 결코 저자만큼은 놓쳐서는 안 되겠군.'

금강천존은 천천히 눈을 뜨며 생각했다.

그의 금강심안공으로 살펴본 놈은 무서울 정도로 강했다. 아무래도 공적오마 중 한 명일 가능성이 컸다.

그런 의미에서 당연한 말이겠지만 만에 하나 금강천존이 해결하지 못하고 그를 놓친다면, 이 골목 전체에 펼쳐 놓은 천라지망을 뚫고 달아날 게 분명했다.

그리고 그 와중에 수십, 수백 명의 수하가 죽거나 다칠 게 당연했다. 그런 일이 없도록 놈은 금강천존의 손에서 마무리를 지어야 했다.

금강천존은 자신이 있었다.

비록 호랑이처럼 강하고 공포스러운 기세를 뿜어내고

는 있지만, 결코 놈에게 진다는 생각은 들지 않았다. 비록 상대가 공적오마 중 한 명일 가능성이 농후하다고는 하지만 그는 결코 두렵거나 위축되지 않았다.

비록 수적 우세를 점한 상태였다고는 하나, 어쨌든 저 천하의 금강철마존에게 상당한 내상을 입힌 게 바로 금강천존, 그였으니까.

금강철마존은 당대 최고의 고수였다.

비록 공적십이마라는 테두리에 한데 묶이기는 했지만, 천상천(天上天), 인외지경(人外之境)에 이른 초절정의 고수였다. 심지어 공적십이마 두 명이 합공을 해도 능히 버틸 수 있을 거라는 소문이 나돌 정도였다.

금강천존은 정사대전이 발발하기 이전부터 금강철마존에게 호승심을 갖고 있었다. 묘하게도 그들의 별호는 서로 엇비슷했으며, 또한 내공을 장점으로 한다는 특징까지 비슷했기 때문이었다.

누가 진짜 금강(金剛)이라는 칭호가 어울리는지 확인하고 싶었던 것이다.

'그때 이후 더 이상 피가 끓어오르지 않았는데…….'

금강천존은 지금 자신의 팔뚝에 소름이 돋는 걸 지켜보면서 생각했다.

'역시 전력을 다해야 하는 싸움처럼 흥분되는 게 없지.'

피가 뜨거워지기 시작했다. 가슴의 두근거림이 커졌

다. 입에 침이 마르고 적당한 긴장과 불안, 초조함이 금강천존의 신경을 자극했다.

딱 이 정도가 좋았다. 과거 금강철마존을 상대할 때의 그 기분, 그 흥분감이었다.

금강천존은 가볍게 숨을 내쉬며 호흡을 가다듬었다. 단전에 모여 있던 거대한 내력이 기맥을 타고 전신을 휘돌았다. 그의 근육이 꿈틀거리며 부풀어 올랐다.

"아니, 그럼 저는 이만 가 봐야겠습니다."

눈치 빠른 왕일문이 서둘러 자리를 뜨려 했다. 금강천존이 뭔가 일을 저지르려 한다는 걸 직감한 까닭이었다.

하지만 금강천존이 더 빨랐다.

그는 왕일문의 말이 끝나기도 전에 대문 앞으로 다가서더니 가볍게 손을 뻗어 문을 밀었다. 굳게 닫혀 있던 문은 싸리문 나자빠지듯 어처구니없을 정도로 간단하게 무너졌다.

쿵!

소리가 요란하게 울렸다. 지면이 흔들렸다. 볼품없는 집 전체가 우르르 흔들렸다.

금강천존은 거침없이 대문을 밟고 집 안으로 들어섰다. 어느새 병장기를 빼 든 다섯 명의 천위가 그 뒤를 따랐다. 천위들은 한 치의 방심도 없이, 그 어느 때보다 세밀하고 날카로운 집중력으로 주위를 경계했다.

"허어."

홀로 남게 된 왕일문은 묘한 탄식을 흘리며 그들의 뒷모습을 지켜보았다.

"진짜 무서운 게 없는 사람이네. 그 안에 누가 있는 줄 알고 함부로 저렇게……."

그렇게 중얼거리는 왕일문의 눈빛이 기이하게 반짝였다. 잠시 집 안으로 들어서는 사람들의 뒤를 지켜보던 그는 곧 발길을 돌려 그곳을 빠져나왔다.

"뭐, 내가 맡은 일은 끝났으니까 남은 건 허 노야께서 알아서 하겠지. 죽이 되든, 밥이 되든 말이야."

왕일문은 어깨를 으쓱거리며 중얼거렸다.

"그럼 가서 십삼매에게 보고를 해야겠군. 설마 결과를 지켜보지 않고 돌아왔다고 화를 내지는 않으시겠지?"

왕일문은 굳이 결과를 지켜볼 생각이 없었다. 이 싸움의 승자가 누가 될지 대충 짐작이 가기도 했거니와, 설령 그게 아니더라도 상관이 없었으니까.

누가 이기든, 아니면 양패구상이든 왕일문이나 황계의 입장에서는 크게 문제 될 게 없었다.

아니, 양패구상으로 끝나는 게 더 최선의 결과일 것이다. 조금 더 멀리 보자면 철목가는 물론, 유령교 역시 황계의 적이 될 수 있었으니까.

왕일문은 콧노래라도 부르고 싶은 기분을 억지로 참으

며 서둘러 그 골목을 빠져나갔다.

'역시 비열한 작자로군.'

금강천존은 왕일문이 도망치는 기척을 느꼈지만 별다른 대응을 하지 않았다.

말이 거창해서 정보 조직이라고 하지만, 결국 황계라는 건 여느 하오문과 다를 바가 없는 삼류 집단에 불과했다.

점소이나 거마꾼의 귀동냥, 창기들이 노래를 부르거나 아랫도리를 벌려서 얻어 낸 정보들이 그들의 주요 수입원이었다.

그런 무리에게 의리니, 대의니 하는 걸 요구하는 게 애당초 잘못인 셈이었다.

그러니 급박한 상황에서 자신의 목숨만이라도 부지하기 위해 서둘러 도망치는 왕일문을 두고 반응을 보일 필요가 없었다.

무엇보다 지금 금강천존은 요란한 굉음과 함께 유령교의 안가에 들어선 참이었으니까.

'모두 자리를 옮겼다. 기척을 지우고 살기를 숨기려 애를 쓰는 것 같지만…… 소용없는 짓이다. 내 금강심안공이 모든 걸 헤아려 보고 있으니까.'

금강천존은 마당을 지나 건물 안으로 들어섰다. 복도로 들어선 순간 금강천존은 저도 모르게 걸음을 멈췄다. 정면을 바라보는 그의 눈빛이 기이하게 빛났다.

대문 밖에서 본 허름하고 작은 외관과는 어울리지 않게, 현관에서 본청(本廳)으로 이어지는 좁은 복도는 그 끝이 보이지 않을 정도로 길게 나 있었다.

"고약하군."

금강천존의 눈살이 절로 찌푸려졌다.

"이런 곳에 진식이 펼쳐져 있을 줄이야……."

2. 태생적인 문제점

진식은 절대 희귀한 수법이 아니었다.

도사들이나 술사들은 물론 법승(法僧)들도, 그리고 무당파나 남궁세가나 사천당문 등 여러 무림세가에서도 실전적으로 사용하는 수법이었다.

기실 진식의 효용은 실로 무궁무진했다.

주변 공간에 결계를 쳐서 적의 시야에서 벗어날 수도 있었고, 함정을 파고 적을 가두거나 죽일 수도 있었다. 제대로만 사용한다면 십만 병력도 두렵지 않을 정도의 가공할 신위(神威)를 지닌 게 진식이었다.

그럼에도 불구하고 진식이 강호무림이라는 곳에서 주류의 수법이 되지 못한 건 그만한 이유가 있었기 때문이었다.

무엇보다 진식에 대한 기존 관념이 좋지 않았다.

강호무림에서 살아가는 무림인들은 독이나 암기, 기관진식과 같은 것들을 무공으로 일류가 되지 못하는 자들의 발버둥에 불과하다고 폄훼했다.

더불어 궁극의 무공과 절정의 무위 앞에서는 그깟 독이나 암기, 기관진식 따위가 아무런 소용이 없다는 게 그들의 속내였다.

그리고 금강천존 또한 그렇게 생각하는 자들 중 한 명이었다.

"사실 어린아이들에게 귀신 운운하면서 겁주는 것과 비슷한 게다, 진식이라는 것은."

금강천존은 마치 등 뒤에 서 있는 다섯 천위들에게 이야기하듯 중얼거렸다.

"언뜻 보면 기괴하고 괴이해서 사람을 미몽(迷夢)에 빠뜨리고 환각 속에서 정신을 차리지 못하게 만들지. 하지만 제대로 정신을 차리고 불굴의 의지로 집중하면 겨우 기물 몇 개와 주술, 주문 몇 마디로 만든 조악한 물건이라는 걸 알아차릴 수 있다."

금강천존은 부릅뜬 두 눈으로 정면을 직시한 채 천위들에게 물었다.

"진식을 파훼하는 방법에 대해서 알고들 있느냐?"

"알고 있습니다."

천위 중 한 명이 공손하게 대답했다.

"펼쳐진 진식의 구성과 방식을 파악하여 그 파훼법을 찾거나, 아니면 불굴의 정신력으로 정면 돌파하거나, 진식 주변의 모든 기물을 송두리째 박살 내면 됩니다."

"그중에서 가장 간단한 건?"

"주변 모든 기물을 박살 내는 일입니다."

"그렇지. 그게 제일 쉬운 방법이지."

금강천존은 손을 뻗어 건물 외벽을 가리켰다. 동시에 그의 손바닥에서 쏟아진 강대한 장력이 외벽을 강타했고, 벽은 요란한 굉음과 함께 구멍이 뚫렸다.

금강천존은 게서 멈추지 않았다. 다시 복도 바닥을 향해 장력을 날렸고, 또 다른 손으로는 천정을 향해 장력을 발출했다.

그가 장력을 쏟아낼 때마다 콰쾅! 하는 소리와 함께 바닥에 구멍이 뚫리고 천정이 무너지고 벽이 허물어졌다.

자욱한 먼지가 사방을 뒤덮었다.

금강천존은 그제야 손을 거두고 뒷짐을 졌다. 시간이 흐르면서 먼지가 안개처럼 걷히고 다시 정면의 광경이 시야에 들어왔다.

그 수십 장 길이의 구렁이 배 속처럼 길고 어둡던 복도는 더 이상 없었다. 기껏해야 삼사 장에 불과한 복도가 그곳에 있었고, 그 복도 끝에는 바로 본청으로 이어지는 문이 자리하고 있었다.

"참 단순하게도……."

금강천존은 부드럽게 웃으며 말했다.

"진식이라는 건 이 몇 차례 단순한 공격만으로 파괴되거든. 애당초 진식이 펼쳐져 있다는 걸 알아차린 이상에는 아무리 정교하게 공을 들이고 노력해서 만들어 봤자 사상누각(沙上樓閣)에 불과하지. 그래서 기관진식이라는 수법이 무림의 주류가 되지 못하는 것이기도 하고."

금강천존의 말은 정확하게 진식의 문제점을 지적하고 있었다.

사실 진식을 펼치기 위해서는 일이 년의 공부만으로는 턱없이 부족했다. 사상과 오행을 알아야 하고, 주역과 주술도 배워야 했다. 그래서 최소한 십 년 가까운 세월을 투자해야만 비로소 진식 비슷한 거라도 만들어 낼 수가 있었다.

하지만 그렇게 오랜 세월을 투자해 봤자 애당초 진식이라는 그 자체가 지닌 문제점은 도저히 어찌해 볼 수가 없었다. 진식은 태생적으로 크게 세 가지 문제를 가지고 있었다.

그중 하나는 공격이 아닌 수비 일변도라는 점이었다.

진식은 기본적으로 주변 방위에 기물이나 부적 등을 설

치하여 결계(結界)를 치는 수법이었다.

그 결계 안에 들어가 은신하거나 몸을 지키거나, 혹은 좀 더 결계를 크게 쳐서 아무것도 모른 채 그 안으로 들어온 적을 환각과 미몽에 빠뜨려서 정신적인 피해를 주고 심지어 죽이기까지 할 수 있는 게 진식이었다.

그러나 그게 전부였다. 공격적으로 진식을 펼쳐서 적을 가둘 수도 없었고, 적의 대군(大軍)을 포위하는 진식을 만들어서 그들을 해칠 수도 없었다.

그저 자신들의 안위를 지키는 수법, 이른바 침입자사(侵入者死)라는 경고 문구로 모든 걸 이야기해 주는 수법이 바로 진식이었다.

두 번째 문제점은 진식이 펼쳐져 있다는 걸 미리 알아차린다면, 진식의 의미가 사라진다는 것에 있었다.

진식은 그 안으로 들어가야만 발동되었다. 적이 미리 그 안에 들어가 있어도 발동되지 않고, 또 결계 주변을 아무리 어슬렁거려도 발동이 되지 않았다. 반드시 펼쳐진 진식 그 안으로 들어서야만 발동이 되었다.

그러니 펼쳐져 있는 진식을 빙 돌아서 가도 되고, 아니면 진식 주변의 기물과 부적 등을 훼손시켜서 아예 진식을 파훼할 수도 있었다. 그리하여 수십 년 공부의 결과물인 진식은 그렇게 허무하게 무용지물로 변하게 된다.

세 번째 문제점은 설령 진식 안으로 들어섰다 할지라도

가공할 정신력과 불굴의 의지력, 강인한 인내심만 있다면 의외로 간단하게 정면 돌파를 할 수가 있다는 점이었다.

진식은 기본적으로 사람의 이성을 마비시키고 감정을 증폭, 혼란하게 만들어서 환각을 보여 주고 미몽에 빠지게 만드는 효용을 지니고 있었다.

시전자의 의도에 따라서 환각과 미몽의 내용은 각양각색으로 바뀌었다.

예를 들자면 벌거벗은 수백 명의 미녀들에게 휩싸여 희롱당하다가 정기가 고갈될 수도 있고, 귀신과 유령 등에 쫓겨 다니다가 탈진할 수도 있으며, 십만 평의 미로 속에서 길을 잃거나 천애(天涯) 낭떠러지에 홀로 서 있을 수도 있었다.

하지만 그곳에 갇힌 자의 정신력이 시전자의 그것보다 훨씬 더 강하고 뛰어나다면, 그래서 그 모든 환각과 미몽들이 거짓임을 알아차리는 한편 한 점 주저 없이 낭떠러지 바깥으로 발을 내디딜 수 있는 강심장을 지녔다면, 그는 별다른 내상이나 부상 없이 가볍게 그 진식을 빠져나올 수가 있었다. 그게 진식이 지닌 마지막 태생적 한계였다.

"지금처럼 주변 기물 몇 곳을 파괴하는 것으로 공들여 만든 진식이 모래성처럼 와해되는 게야. 그러니 나중에라도 만에 하나 진식과 조우하거나 혹은 그 안에 갇히는 일이 생기더라도, 정신을 잃지 않고 집중한다면 반드시 그 진식을 파훼할 수 있을 것이다."

금강천존의 말에 다섯 천위는 공손하게 대답했다.

"명심하겠습니다, 천존."

금강천존은 만족했다는 듯 고개를 끄덕이고는 입을 열었다.

"좋아. 그럼 이제 우리를 기다리고 있는 이들을 만나러 가 볼까?"

금강천존은 복도 끝자락에 있는 문을 향해 천천히 발길을 옮겼다. 다섯 천위들도 병장기를 움켜쥔 채 조심스러운 눈빛으로 주위를 살피며 그 뒤를 따랐다.

부서진 천정을 통해 보이는 하늘은 이미 어두워져 있었다. 유난히 많은 별빛이 그 뚫린 천정을 통해 복도에 내려앉았다. 금강천존과 천위들은 그 별빛을 밟으며 복도를 지나 마침내 문 앞에 이르렀다.

그곳에 이르는 동안 그들의 발길을 막는 이는 아무도 없었다. 유령교의 안가라는 게 믿어지지 않을 정도로 주변은 한산하고 고요했다.

하지만 금강천존은 끝까지 신중했다.

'일곱 명이라…….'

금강천존은 금강심안공을 발휘하여 문 저편의 기척을 확인한 후였다. 일곱 개의 기척 중 네 개는 숨어 있었고, 본청에는 세 개의 기척이 품(品) 자(字) 형태로 모여 있었다.

'일곱 모두 나름대로 강해 보이기는 하지만…… 역시 내가 조심해야 할 자는 한 명뿐이다.'

금강천존은 침착한 어조로 말했다.

"숨어 있는 네 명의 암습만 조심하면 될 것 같구나."

천위들이 얼른 대답했다.

"왕 선임 부관이 열 명의 호위를 붙여 준 것 같습니다. 그들로 견제하라 할까요?"

"괜찮겠군. 그럼 본청에 있는 세 명 중 가장 강한 자를 내가 맡을 터이니, 그대들은 나머지 두 사람이 날 방해하지 못하도록 막게."

"그리하겠습니다."

천위들이 가볍게 휘파람을 불었다. 그 휘파람에 화답하듯 사방에서 경쾌한 새소리가 들려왔다.

금강천존은 새 울음소리를 뒤로한 채 천천히 문을 열었다.

탁한 공기가 불빛과 함께 흘러나왔다. 금강천존은 본능적으로 호흡을 참으며 정면을 주시했다.

유령교의 안가 본청.

사방 네 평 정도 되는 공간 정면에 제법 근사하게 보이는 의자가 마련되어 있었다. 의자에는 소년이 앉아 있었으며, 그 소년의 좌우로 늙은 노인들이 한 명씩 시립해 있었다.

금강천존의 시선은 자연스럽게 좌측의 노인, 키가 작고

허리가 굽은 늙은이에게로 향했다.

흑단목으로 보이는 지팡이를 짚은 채 방금 문을 열고 들어선 금강천존을 노려보는 노인의 안광(眼光)은 철을 뚫을 듯 강렬했다. 그야말로 관록과 무위, 그리고 거침없는 성격까지 단번에 드러나는 안광이었다.

'저 늙은이로군.'

금강천존은 내심 고개를 끄덕였다.

안가 밖에서 금강심안공으로 감지했던, 거의 공적십이마급에 비견되는 기세와 무위, 기운을 지닌 공포의 기척이 바로 이 노인이었던 것이다.

'역시…… 유령교의 최고위 인사인 게 분명하…… 응?'

그때였다.

노인을 바라보며 내심 중얼거리던 금강천존의 뇌리에 퍼뜩 한 줄기 의문이 스치고 지나갔다. 뒤늦게 지금 저자들이 자리 잡고 있는 구도가 평범하지 않다는 사실을 깨달은 것이다.

저 작달막한 체구의 노인이 유령교의 주인이라면 당연히 지금 저렇게 시립해 있는 게 아니라 정중앙의 의자에 앉아 있어야 했다.

하지만 정중앙의 의자에는 스무 살도 채 되지 않은 소년이 다리를 꼰 채 거만한 자세로 앉아 있었다. 마치 이 안가의 주인인 것처럼, 그리고 저 작달막한 노인을 하인으로 부리는 주인인 것처럼.

'설마…….'

금강천존은 저도 모르게 마른침을 꿀꺽 삼켰다.

'내가 착각한 것인가?'

금강천존은 처음으로 얼굴을 굳힌 채 천천히 시선을 돌렸다. 그리고 소년과 정면으로 눈이 마주쳤다.

일순간 금강천존의 얼굴이 거짓말처럼 추악하게 일그러졌다.

3. 혈혼암귀(血渾闇鬼)

"됐네."

위천옥이 짧고 명료하게 허 노야의 말을 끊었다.

"뭘 그리 복잡하게 일을 꾸미려고 해? 그냥 가서 죽이면 되잖아."

위천옥은 턱으로 허 노야를 가리키며 말했다.

"자, 안내해. 철목가 가주에게."

허 노야의 표정이 급변하는 순간이었다.

안가 본청의 천정과 벽 사이에 은신하고 있던 이들 중 한 명이 허 노야에게 전음을 건넸다.

-호동 주변에 포위망이 펼쳐지고 있습니다.

허 노야의 새하얀 눈썹이 꿈틀거렸다. 그는 고개를 숙인 채 전음으로 물었다.

–어디의 누구더냐?

–철목가 무사들로, 아직 확실하지는 않지만 금강군인 듯합니다.

–금강군? 금강천존이 나섰다는 겐가?

–아무래도 그런 것 같습니다. 얼른 이동하셔야…….

–아니, 됐다.

허 노야는 고개를 숙인 채 눈동자만을 굴려 위천옥을 쳐다보았다. 위천옥은 여전히 사람을 깔보고 무시하는 눈빛으로 허 노야를 지켜보는 중이었다.

'그래. 약간의 쓴맛 정도는 외려 도움이 될 게야. 지금처럼 안하무인(眼下無人)에 천둥벌거숭이처럼 행동하다가는 자칫 크게 다칠 수도 있으니까.'

허 노야는 한번 위천옥의 큰 코를 납작하게 해 주는 것도 나쁘지 않다고 생각했다.

워낙 절해고도(絕海孤島)에서 세상 물정 모르고 살다 보니까, 너무 콧대가 오만해지고 눈에 뵈는 게 없어진 모양이었다. 조금은 겸허하고 겸손할 줄 알고, 노인 공경도 할 줄 알아야 할 필요성이 있었다.

그리고 금강천존과 그가 이끄는 금강군이라면 위천옥에게 훈계를 내려 줄, 아주 적당한 상대였다.

—내가 알아서 처리하마.

허 노야는 그렇게 전음을 종료한 후 고개를 살짝 들어 위천옥을 바라보며 입을 열었다.

“아무래도 철목가 가주를 찾아가는 건 잠시 미뤄야겠습니다. 인근 주변에…….”

허 노야의 말이 끝나기도 전에 위천옥이 가볍게 미소를 지으며 말했다.

“포위망이 펼쳐지고 있다면서?”

“네엣?”

허 노야의 눈이 휘둥그레졌다.

“그, 그걸 어찌 아셨…….”

설마 전음을 훔쳐 들은 것인가? 하는 생각이 언뜻 허 노야의 뇌리를 스쳐 지나갔다.

믿을 수 없는 일이다. 있을 수 없는 일이었다.

원래 전음이라는 건 내공의 힘으로 말과 비슷한 공기의 파동을 만들어 상대방의 귀로 쏘아 보내는 형식의 무공이었다. 그러니 그걸 훔치거나 빼앗아 듣는다는 건 있을 수도 없고 또 그런 수법이 존재하지도 않았다.

“그러니까 허 늙은이가 문제라니까.”

위천옥은 놀라 당황해하는 허 노야를 바라보면서 키득거렸다.

“자네에게만 은밀한 눈이 있고 내게는 그게 없다고 생

각하나 본데, 그렇게 날 무시하면 안 된다고."

위천옥은 어깨를 으쓱거리며 말했다. 그 말을 들은 허 노야는 재빨리 머리를 굴렸다.

'누군가 따로 소야에게 전언한 모양이로구나.'

허 노야는 내심 눈살을 찌푸렸다.

그 의미는 다시 말해서 이 공간 안에 자신이 인지하지 못하는 인물이 어딘가에 숨어 있다는 뜻이기도 했으니까.

기분이 나쁘고 자존심에 상처가 나는 건 당연한 일이었다.

'누구지? 그럴 능력을 지닌 자가…….'

허 노야는 소야 주변의 인물들을 떠올리다가 저도 모르게 무릎을 치며 탄성을 내지를 뻔했다.

'아! 그렇지. 왜 그 늙은이를 생각하지 못하고 있었을꼬? 하기야 그 늙은이라면 나도 한 수 양보할 수밖에.'

허 노야는 소야를 보필하는 다섯 귀신들을 하나씩 떠올리다가 혈혼암귀라는 존재를 기억해냈다.

'혈혼암귀(血渾闇鬼)…… 확실히 은잠술이나 잠입술에 관해서라면 천하제일이라고 해도 과언이 아닌 늙은이니까.'

허 노야는 내심 고개를 끄덕이며 생각했다.

그가 지금 이 공간 어딘가에 몸을 감추고 숨어 있다면 확실히 아무리 허 노야라고 한들 그 기척을 찾아낼 수 없을 것이다.

혈혼암귀의 은잠술은 사파 무공의 최고 절기 중 하나였고, 그 은잠과 잠입을 이용하여 저 정사대전 당시 수많은 정파백도의 명숙들을 암살했었으니까.

'하지만 이상하군.'

허 노야는 이내 내심 고개를 갸웃거렸다.

'혈혼암귀가 이곳에 은신해 있는 거야 당연히 그럴 수 있다고 치자. 하지만 그가 어찌 이 호동 주변의 포위망을 알고 있는 게지?'

허 노야가 그런 의아심을 떨쳐 버리지 못하고 있을 때, 위천옥이 다시 히죽거리며 입을 열었다.

"그 포위망을 펼친 자들이 금강천존이라는 늙은이의 졸개들이라고 하던데. 그것도 알고 있는 거야?"

'헉! 그걸 어찌…….'

허 노야는 깜짝 놀란 눈으로 위천옥을 쳐다보았다. 위천옥이 어깨를 으쓱거리며 재미없다는 투로 말했다.

"뭐야? 표정을 보니 알고 있었나 보군그래. 알고 보니 혈노가 가지고 온 정보라는 거, 별로 소용없는 거 아냐?"

혈노(血老).

역시 허 노야의 추측이 맞았다.

오직 위천옥만이 사용할 수 있는 혈노라는 단어는 곧 혈혼암귀를 뜻하는 별칭이었다.

하지만 아직 혈노, 혈혼암귀가 어떻게 포위망이 펼쳐지

고 있는지, 심지어 그 포위망의 주체가 금강천존이라는 것까지 어떻게 알게 된 것인지 이해할 수가 없었다.

잠시 머리를 굴리던 허 노야는 조심스럽게 입을 열었다.

"따로 자리를 옮기셔야 할 듯합니다."

처음 생각과는, 위천옥에게 낭패를 주려고 했던 것과는 다른 말이 그의 입에서 흘러나왔다. 위천옥이 고개를 갸웃거리며 의아하다는 듯이 물었다.

"왜?"

"네? 뭐가 왜라는 거죠?"

"아니, 왜 내가 자리를 따로 옮겨야 하는데?"

"아, 그야…… 괜히 이곳에 있다가 포위망이 완성되면 아무래도 귀찮은 일이 발생하게 될 테니까요."

"금강천존이라는 늙은이가 직접 찾아온다는 등의?"

"뭐 그야…… 아니, 금강천존이 이곳으로 직접 찾아오고 있답니까?"

"응? 아직 몰랐나?"

위천옥은 다시 키득키득 웃었다.

"뭐야? 성도부는 꽉 잡고 있다고 하더니 오늘 이곳에 발을 디딘 나보다도 정보가 느리네. 지금쯤이면 호동 입구에 그 늙은이가 와 있을 텐데. 자네가 그토록 자랑하는 황계 지부주라는 작자와 함께 말이지."

허 노야의 새하얀 눈썹이 꿈틀거렸다.

"왕 지부주가 금강천존을 이곳으로 안내하고 있다는 겁니까?"

"아니, 진짜 모르고 있었던 거야? 하아. 이것 참 난감하네. 이런 엉터리 같은 노인네를 다 봤나. 이렇게 눈이 깜깜하고 귀가 탁 막힌 늙은이를 어떻게 믿으라는 거지? 어떻게 자네를 믿고 내가 천하에 군림할 수 있다는 거지?"

"죄, 죄송합니다."

허 노야의 등골에 식은땀이 흘렀다.

도대체 혈혼암귀에게 어떤 도통한 능력이 있어서 그런 세세한 것까지 모두 알고 있는지 이해가 가지 않았다.

하기야 허 노야가 모르는 건 너무나도 당연한 일이었다. 성도부에 들어선 위천옥이 우연히 마주친 항조군이라는 자에게 미행을 붙였고, 미행의 임무를 맡은 혈혼암귀는 이후 항조군이 금강천존을 만나고 다시 금강천존이 황계지부를 찾아가 왕일문과 대화를 나누는 것까지 모두 목도했다는 사실을 어찌 허 노야가 알 수 있겠는가.

혈혼암귀는 이후 금강천존과 왕일문보다 훨씬 빠르게 이곳으로 돌아왔고, 보고 들은 모든 사실을 위천옥에게 전언(傳言)했던 것이다.

"뭐, 놀리는 건 이 정도로 할까?"

위천옥이 문득 문쪽으로 시선을 돌리며 중얼거렸다.

"벌써 손님이 오신 것 같으니 말이야."

허 노야는 황급히 고개를 돌렸다. 문밖, 저편에 누군가의 기척들이 희미하게 느껴졌다.

허 노야는 빠른 어조로 말했다.

"복도에는 진식이 펼쳐져 있어서 그리 쉽게 들어서지 못할 겁니다."

"과연 그럴까?"

위천옥은 살짝 귀를 기울이는 시늉을 하면서 말했다.

"대충 들어 보니 저 작자들, 아예 주변을 파괴하는 것으로 진식을 무력화시키려고 하는 것 같은데."

허 노야는 저도 모르게 움찔거렸다.

문밖의 저들이 진식을 무력화시키는 방법도 놀라웠지만, 무엇보다 저 밖의 대화까지 놓치지 않고 들을 수 있는 위천옥의 내력이 더욱 놀라웠다.

위천옥은 계속해서 말했다.

"거기 혼자 서 있지 말고 내 옆으로 와."

"아, 네."

허 노야는 황급히 위천옥의 좌측으로 자리를 옮겼다. 위천옥은 곁눈질로 검은색의 지팡이에 살짝 기대는 그를 힐끗 보고는 가볍게 혀를 찼다.

"서 있기조차 힘들면 인제 그만 은퇴하지 그래?"

허 노야의 얼굴이 살짝 붉어졌다.

"아니, 이건 그게 아니라…… 한 달 전인가 무적가 놈들하고 싸우다가 조금 다리를 삐끗하는 바람에 잠시 사용하고 있습니다."

"조금 삐끗한 게 한 달씩이나 낫지 않아?"

"그게…… 나이가 들다 보니까 좀처럼 뼈가 붙지 않아서……."

"아니, 삐끗한 게 아니라 부러진 거야?"

"부러졌다고 하기보다는 가볍게 금이 갔다, 라고 하는 게 아무래도 정확한 표현이 아닐……."

허 노야가 허둥지둥 변명을 늘어놓을 때였다.

쾅! 콰앙! 쾅!

귀청이 찢어질 것만 같은 굉음이 문밖에서 터졌다. 지면이 흔들리고 흙먼지가 천정에서, 벽에서 뭉게구름처럼 피어올랐다. 금방이라도 집 전체가 무너질 것만 같았다.

하지만 위천옥을 비롯한 허 노야, 청노는 전혀 당황한 기색 없이 문을 지켜보았다. 문밖에서 누군가 중얼거리는 소리가 희미하게 들려왔다.

위천옥은 가볍게 눈살을 찌푸리며 투덜거렸다.

"거참, 말 많은 늙은이로군. 늙으면 다들 말이 많아지는 거야, 허 영감?"

허 노야는 뭐라고 대답해야 할지 잠시 고민하다가 입을 열었다.

"뭔가 찔리는 게 있으면 말이 많아지는 법입니다."

"그럼 허 영감은 뭐가 그리 찔려서 말이 많은 거지?"

"저는 원래 태생적으로 수다쟁이라서……."

"호오, 그래?"

위천옥이 조소를 흘리다가 입을 다물었다. 때마침 문이 열리고 몇몇 이들이 본청 안으로 걸어 들어온 것이다. 위천옥은 한쪽 다리를 꼬고 턱을 괸 채 그 불청객들을 지켜보았다.

불청객 중 선두에 선 노인의 시선이 위천옥이 아닌 허노야에게로 향했다.

위천옥은 저도 모르게 피식 웃었다.

'겨우 그 정도였어?'

그렇게 생각하는 순간, 노인의 시선이 다시 위천옥에게로 향했다.

일순 노인의 얼굴이 새파랗게 질렸다. 공포와 경악, 두려움과 불신의 기색이 그의 안면 근육을 파들파들 떨게 만들고 있었다.

위천옥과 마주친 자들이 늘 그러하듯, 다리에 힘이 풀린 노인은 하마터면 그 자리에 주저앉을 뻔했다.

위천옥은 그제야 마음에 든다는 듯 빙긋 웃었다.

'그래. 그래야지. 그게 당연한 거지.'

위천옥은 고개를 끄덕이면서 노인, 금강천존을 정면으로 바라보았다.

3장.

호신강막(護身罡膜)

호신강기나 호신강막은 상승무공이었다.
최소한 일 갑자 이상의 내공과 수십 년의 수련이 뒷받침되어야만
비로소 펼칠 수 있는 무공이었다.

1. 일격필살(一擊必殺)

심장이 그대로 폭발하는 것만 같은 충격이 그의 가슴을 강타했다. 숨을 쉴 수가 없었다.

금강천존은 다리가 후들거려 금방이라도 무너질 것만 같은 자세를 억지로 고쳐 잡아야만 했다. 하마터면 강적을 앞에 두고 그 자리에 주저앉는 추태를 보일 뻔했던 게다.

금강천존은 애써 호흡을 가다듬으며 태연한 기색을 가장하려 노력했다. 처음 느꼈던 그 공포와 두려운 감정을 숨기고 한없이 평온하며 느긋한 표정을 떠올리고자 했다.

호위하던 다섯 천위들도 놀란 건 마찬가지였지만 금강천존 정도는 아니었다. 그저 어린 녀석이 믿을 수 없을 정도로 가공한 무위를 뿜어내고 있구나, 하는 정도의 충격이었다.

금강천존은 홀로 의자에 앉아 있는 위천옥을 바라보며 마른침을 꿀꺽 삼켰다. 위천옥은 다리를 꼬고 턱을 괸 채 오만한 시선으로 금강천존을 지켜보았다.

마치 먼저 입을 여는 자가 패배하는 내기라도 걸린 듯, 그들은 아무런 말을 하지 않았다. 오로지 서로의 눈과 표정을 살피며 조금이라도 상대에 대해 파악하고자 애를 썼다.

그때, 허 노야가 천천히 입을 열었다.

"주인 허락도 없이 함부로 집 안에 발을 들인 것도 모자라 건물을 부수기까지 하다니, 그게 백도 명숙이 할 행동이라고 생각하는가?"

날카롭고 예리한 지적이었다.

금강천존이 공적십이마급의 위세를 지녔다고 인지했던 허 노야의 질문이었다. 하지만 지금 금강천존의 관심은 오롯하게 위천옥에게만 집중되어 있었다.

"미안하오."

금강천존은 위천옥에게서 시선을 떼지 않은 채 그리 말했다.

"워낙 다급한 일이라 주인장의 허락을 받지 못했소."

"허어…… 주인장의 허락을 받지 못할 정도로 다급한 일이라니?"

"유령교의 무리들이 본가의 무사들을 암습하여 많은 사상자를 내서 말이오."

"유령교? 아니, 유령교의 일을 왜 이곳에 와서 따지는 것이오? 설마 우리가 유령교와 관련이 있다는 것이오?"

"지금 관련이 없다고 발뺌하는 것이오?"

"허허. 말도 안 되는 소리. 우리가 유령교와 관련이 있다는 증거라도 있소?"

"그럼 유령교와 관련이 없다, 라는 증거라도 있소?"

"생떼요, 그건."

"생떼가 아닌 것 같은데."

금강천존은 처음으로 위천옥에게서 시선을 떼고 허 노야를 바라보았다.

초라해 보일 정도로 작은 체구, 굽은 등에 반해 그의 눈에서는 날카롭게 빛나는 안광(眼光)이 뿜어져 나왔고 그의 전신에서는 무심결에 흘러나오는 기세가 흉흉할 지경이었다.

금강천존은 처음보다는 훨씬 더 차분하게 가라앉은 목소리로 말했다.

"과거 유령교에는 세 명의 호법봉공(護法奉公)이 있어

서 교주를 보필하고 교리를 수호하는 임무를 맡는다고 했소. 그중 두 명의 봉공은 정사대전 당시 목숨을 잃었고, 한 명의 봉공은 실종되어 그 생사를 확인하지 못했소."

허 노야는 무표정한 얼굴로 금강천존의 말을 가만히 듣고 있었다.

"우리는 꽤 오랜 시간을 들여서 그 마지막 봉공을 찾으려 애를 썼소. 유령교의 포로들을 통해 그 봉공의 용모파기(容貌疤記)를 만들고, 수천 명의 태극감찰밀원들을 동원해 지난 수십 년 동안 그를 찾으려 했소."

금강천존은 문득 뒤를 돌아보며 천위들에게 물었다.

"그 용모파기를 기억하느냐?"

"기억합니다."

천위 중 한 명이 대답했다.

"오 척 단구(短軀)에 오리처럼 입이 튀어나왔고, 눈빛은 매섭고 날카로워서 철을 뚫을 것만 같다고 했습니다."

"그 봉공의 이름은?"

"무림인들에게는 귀마주유(鬼魔侏儒)라는 별호로 널리 알려진 허신방이 바로 그입니다."

주유(侏儒)는 곧 난쟁이를 가리키거나 혹은 체구가 작은 자들을 빗대어 사용하는 말이었다. 그리고 그 귀마주유라는 별호는 지금 허 노야의 외양과 정확하게 맞아떨어졌다.

금강천존은 허 노야를 응시한 채 말했다.

"이 정도면 충분히 이곳이 유령교의 안가라는 증거가 될 것 같은데…… 유령교의 봉공이나 되는 인물이 설마 유치하게 이런 것까지 부인하지는 않을 거라고 생각하오만."

허 노야는 가타부타 입을 열어 대답하지 않았다. 그렇게 그가 잠시 침묵을 지키는 가운데 문득 위천옥이 가볍게 박수를 치며 웃었다.

"좋아, 좋아."

사람들의 시선이 일제히 그에게로 향했다. 위천옥은 기분 좋다는 듯 웃으며 말을 이었다.

"대단한데? 그 정도 정보력이라면 저 허 영감이 자랑하는 황계보다 훨씬 나은 것 같아."

조금 전과는 달리 묵묵히 위천옥을 바라보는 금강천존의 이마에 식은땀이 한 방울 맺혔다.

"그럼 나는 누구일까?"

위천옥은 흥미롭다는 듯이 살짝 앞으로 몸을 내밀며 말했다.

"만약 내가 누군지 알아낸다면, 좋아! 크게 쏘지! 다들 살려 보내 주겠어."

"어디서 감히……."

천위들은 위천옥의 반말에 화를 내며 발끈하려 했지만 그보다 먼저 금강천존이 손을 들어 그들의 입을 막았다.

금강천존은 마치 위천옥의 오만함이 당연하다는 듯한 표정을 지은 채 천천히 입을 열었다.

"귀하가 누구인지는 모르오."

"칫, 재미없잖아."

위천옥은 입을 삐죽이며 말했다.

"그렇게 딱 잡아 말하지 말고 조금이라도 상상력을 발휘해 보라고."

금강천존은 가만히 그를 지켜보다가 말했다.

"유령교의 봉공이 보필하는 인물은 오직 유령교의 교주 뿐이오. 하지만 그대는 유령신마가 아닌 게 확실하고…… 어쩌면 유령신마를 대신할 유령교의 소교주 정도 될 것이오."

"오호, 좋아! 좀 더 상상력을 발휘해 봐!"

"하지만 유령교의 소교주라면 굳이 이런 안가에 머무르고 있을 이유가 없을 것이오. 그리고 겨우 열 명도 되지 않는 호위들로만 지키고 있지도 않을 것이고. 어쨌든 지금 유령교는 본가와 무적가 사이를 오가며 전쟁을 벌이는 중이니까, 그들의 소교주라면 더더욱 안전하게 지키고 보호할 것이오."

"오호, 점점 마음에 드는군. 그래서?"

"글쎄. 더는 상상하기조차 힘들구려. 소교주는 아니지만 그에 버금가는 위상을 지닌 존재. 아, 그렇구려!"

금강천존은 문득 생각났다는 듯 눈빛을 반짝였다. 위천옥이 궁금하다는 듯이 더욱 앞으로 몸을 내밀며 물었다.

"뭔데? 뭔데?"

"무림오적이라는 조직이 있다고 들었소. 그리고 그들은 유령교와 손을 잡고 본가와 무적가를 상대로 전쟁을 벌였다고 했소. 즉, 귀하는 무림오적 중 한 명…… 아니, 무림오적이라는 조직을 만들어 내고 그들에게 지시를 내리는 배후가 아닐까 하는 생각이 들었소만……. 으음, 아무래도 틀린 생각인 것 같구려."

이야기하는 동안 위천옥의 표정을 살피던 금강천존은 살짝 낯을 찌푸리며 고개를 저었다. 위천옥도 낯을 찌푸린 상태로 말했다.

"잘 나가다가 꼭 엉뚱한 데로 빠진다니까, 다들. 왜 그렇게 제멋대로 생각하는지 모르겠네. 내가 그깟 무림오적 중 한 명일지도 모른다는 상상을 하다니. 내가 그리도 못나 보이나 보지?"

위천옥은 거칠게 물었다.

금강천존은 그의 말을 들으며 내심 머리를 굴렸다.

'무림오적을 모르지는 않나 보군. 하지만 그들을 폄훼하고 경시하는 것으로 보아 그리 사이가 좋은 건 아닌 듯하고…….'

금강천존은 노련하게 대화를 이끌고자 했다.

"하지만 보고에 따르자면 이번 전투에서 혁혁한 공을 세운 건 유령교가 아니라 무림오적이라고 하던데……."

"그게 사실이야?"

위천옥은 허 노야에게로 시선을 돌리며 질책하듯 물었다. 허 노야는 고개를 숙이며 대답했다.

"굳이 어느 쪽이 더 공을 세웠느냐고 따지는 건……."

"됐어!"

위천옥이 짜증을 부리며 말했다.

"허 영감이 그리 말하는 걸 보면 확실히 무림오적 녀석들이 더 발버둥을 쳤나 보네. 쳇! 그런 애송이들에게도 뒤처질 정도라니. 도대체 그동안 뭘 한 거야, 허 영감은? 이래 놓고도 나를 천하의 주인으로 만들어 주겠다고 큰소리 땅땅 치는 거야? 그 말 믿을 수 있는 거야?"

듣고 있던 금강천존의 눈빛이 빛났다.

'유령교의 봉공이 천하의 주인으로 만들겠다는 건…… 역시 소교주인 게 분명하구나. 아직 정식으로 인정받지 않은, 그리고 그 신분과 정체를 숨겨야 할 이유가 있는…….'

금강천존은 대충 위천옥에 대해서 알 것 같았다.

'저 가공할 마기와 살기를 보자면 아주 어렸을 적부터 온갖 영약과 영물을 복용시킨 게 분명하다. 거기에 믿어지지 않을 정도로 대단한, 가령 공적십이마 같은 자들을

초빙하여 저 소년에게 무공을 가르쳤을 것이고……'

그렇게 키우는 동안 소년의 존재는 비밀로 했을 게 뻔했다. 그가 존재한다는 사실이 교도들에게 퍼질 경우, 자칫 태극천맹 쪽으로 새어 나갈 수도 있었으니까.

'그걸 방비하기 위해서 철저하게 저 소년의 존재를 숨기고 함구했을 것이다. 어딘가 모처(某處)에 숨겨서 아무도 모르게 키웠을 것이다. 그런 소년이 지금 이 자리에 있다는 건……'

일순 금강천존의 낯빛이 바뀌었다.

이제 모든 준비가 끝났다는 뜻이리라. 더 이상 숨길 필요가 없다는 의미일 것이다. 적의 공격은 물론 암습이나 기습 따위를 두려워할 이유가 없게 되었다는 게다.

즉, 천상천하(天上天下) 유아독존(唯我獨尊)을 외칠 때가 되었다는 것이리라.

'그렇게 놔둘 수는 없지.'

금강천존은 천천히 내력을 끌어모으기 시작했다.

'탓하려면 네 불운을 탓하거라. 다른 사람도 아닌 내게 그 존재를 제일 먼저 발각당했다는 불운 말이다.'

금강천존은 한껏 내공을 끌어올리는 한편 다섯 천위들, 그리고 선임 부관이 마련해 준 또 다른 열 명의 무사들에게 전음을 통해 명령을 내렸다.

-내가 소년에게 선공을 펼칠 터이니 너희들도 동시에

모든 전력을 다해 나와 함께 소년을 공격하도록. 양쪽 늙은이들과 이 대청 곳곳에 은신해 있는 자들은 도외시하고 말이다.

그의 지시를 받은 천위들과 열 명의 무사들 또한 금강천존처럼 은밀하게 기를 모으기 시작했다.

금강천존은 백전노장이었다.

지금 같은 상황에서는 어떻게 싸워야 하는지 너무나도 잘 알고 있었다.

'견제하거나 상대의 무위를 가늠하거나 빈틈을 찾거나 하면서 여유를 부릴 필요가 전혀 없다. 일격필살(一擊必殺)! 지닌 최대한의 내공을 동원하여 최강의 무공을 펼치는 거다. 그렇게 전력을 다해 가장 강한 놈을 해치우고 나면, 그 나머지 것들은 한결 상대하기 편해지니까.'

금강천존은 다섯 명의 천위와 열 명의 특급 무사를 동원하여 허 노야나 청노, 그리고 대청 곳곳에 숨어 있는 자들을 막을 생각 따위는 전혀 하지 않았다.

그건 하급의 전법(戰法), 아군이 동원할 수 있는 최강의 전력으로 단번에 적의 머리를 자르는 게 상급의 전법이었다.

금강천존의 두 손에 그의 모든 내공이 스며들었다. 저 금강철마존에게 내상을 입혔던 금강항마력(金剛降魔力)이라는 최상승의 무공을 펼칠 준비가 끝난 것이다.

금강천존은 위천옥을 바라보며 부드럽게 웃었다. 위천옥은 영문도 모른 채 따라 웃었다.

바로 그때였다. 금강천존은 벼락처럼 두 팔을 앞으로 뻗었다.

순간, 홍수가 난 장강의 물결처럼 거칠고 강대한 장력이 그의 두 손바닥에서 힘차게 뻗어 나갔다. 두 개의 장력은 이내 마귀를 잡아먹는 천룡(天龍)으로 변하는가 싶더니, 그대로 위천옥의 목젖을 깨물고 심장을 뜯었다.

그야말로 일격필살의 장력!

"미안하구나, 어린 소년이여!"

뒤늦게 금강천존의 입에서 창대한 외침이 터져 나왔다.

2. 재밌었어

두 마리의 천룡이 꿈틀거리며 위천옥을 향해 뻗어 나가는 순간, 다섯 천위와 열 명의 무사들도 동시에 위천옥을 노리고 검과 칼을 휘둘렀다.

순식간에 열다섯 개의 검기(劍氣)와 도기(刀氣)들이 넓은 대청을 가로질러 위천옥의 전신을 난도질했다.

"아이쿠, 소야!"

허 노야가 깜짝 놀라 부르짖었다. 동시에 몸을 날려 위천옥의 앞으로 뛰어드는 그의 얼굴은 당황함과 분노의 표정으로 잔뜩 일그러져 있었다.

명색이 명문 정파의 거두(巨頭)인 금강천존이 이런 기습을 펼칠 줄은 전혀 몰랐다. 또 금강천존이 수하들까지 동원한 모든 전력을 위천옥에게 쏟아부을지도 전혀 상상하지 못했다.

이대로 위천옥이 죽기라도 한다면, 아니 중상을 입기라도 한다면 허 노야는 그 죄를 감당할 수가 없었다. 지난 십수 년 동안 진행해 왔던 모든 계획들이 삽시간에 물거품이 되는 것이다. 그랬기에 그는 본능적으로 몸을 날려 위천옥을 보호하려 했다.

하지만 위천옥이 더 빨랐다.

"좋은 전법이다!"

위천옥은 환호하듯 활짝 웃으며 소리쳤다.

동시에 그는 검기나 도기들은 아랑곳하지 않은 채 오로지 쌍장을 휘둘러 정면으로 금강천존의 금강항마력과 맞부딪쳐 갔다. 위천옥의 두 손에서 거칠 것 없는 장력이 폭발하듯 분출되었다.

일순 금강천존의 눈썹이 꿈틀거렸다.

'감히 내게 내공의 승부를 거는 게냐?'

장력과 장력이 정면으로 맞부딪치는 건 장공(掌功)의 수준과는 전혀 상관없이, 오롯하게 내공의 고하(高下)로 그 승부가 가려질 수밖에 없었다.

당연히 내공이 높은 자의 장력이 낮은 자의 그것을 뭉개고 박살 내고 파괴한다. 단순하다면 한없이 단순한 겨룸인 셈이다.

내공이라면 천하의 그 누구에게도 지지 않는다는 금강천존이었다. 호승심이 머리끝까지 치솟은 금강천존은 단전에 남아 있던 진원진기까지 모두 동원하여 십이성(十二成)의 내력을 발출했다. 그의 금강항마력이 더욱 거세고 강대하게 뿜어졌다.

금강천존의 금강항마력과 위천옥의 장력이 어느 한순간 허공 한가운데에서 정면으로 맞부딪쳤다.

믿을 수 없게도 아무런 파열음이 일지 않았다. 천지를 뒤흔드는 굉음이나, 천 근 화약이 터지는 것 같은 폭발음은 없었다.

오로지 두 개의 서로 다른 장력이 맞부딪친 가운데, 마치 힘겨루기를 하듯 안간힘을 쓰며 상대의 장력을 밀어내려 하고 있었다.

'허어!'

금강천존의 낯빛이 변했다.

약관도 채 되지 않은 애송이가 진원진기까지 동원한 자신의 십이성 공력과 백중세를 이룰 줄은 전혀 상상하지 못했다.

아니, 백중세가 아니었다. 시간이 흐르면서 점점 자신의 금강항마력이 주춤거리며 뒤로 밀리고 있었다.

'도대체 어떤 괴물이란 말이냐!'

금강천존은 이를 악물고 더욱 힘을 가했다.

그때였다.

챙! 챙!

병장기 부딪치는 소리와 함께 위천옥의 주변에서 십수 개의 불똥이 튀었다.

다섯 명의 천위들과 열 명의 무사들이 발출했던 날카로운 검기와 강맹한 도기들이 불과 위천옥의 몸과 한 치 가량 떨어진 허공에서 신기루처럼 사라지며 남긴 소리와 불똥들이었다. 말 그대로 위천옥의 주변에 보이지 않는 막이 펼쳐져 있는 것만 같았다.

검기를 천위들과 무사들의 얼굴에 낭패의 빛이 떠올랐고, 그걸 본 금강천존의 얼굴은 추악하게 일그러졌다.

'호신강막(護身罡膜)이라니…….'

믿을 수 없는 일이었다.

금강천존과 장력으로 내공의 고하를 겨루면서 한편으로는 호신강막으로 몸 전체를 뒤덮고 있다니.

호신강막은 내공으로 만든 보호막이었다. 내공으로 몸 주위에 강기(罡氣)를 둘러서 신체 표면을 강화하는 걸 호신강기(護身罡氣)라 한다면, 방어막처럼 몸 주변에 투명한 강막(罡膜)을 형성하여 적의 공격이 몸에 닿는 것 자체를 막는 방식을 두고 호신강막이라 했다.

호신강기나 호신강막은 상승 무공이었다. 최소한 일 갑자 이상의 내공과 수십 년의 수련이 뒷받침되어야만 비로소 펼칠 수 있는 무공이었다.

워낙 내공의 소모도가 커서 장시간 시전할 수도 없는 까닭에 상시(常時) 펼쳐 둔다는 건 가히 상상조차 할 수 없는 일이었다.

그런데 지금 저 애송이는 금강천존과 정면으로 내공 승부를 펼치면서도 미리 호신강막까지 시전해 둔, 그럴 정도의 충분한 여유가 있다는 것이었다.

반면 금강천존은 진원진기까지 끌어모아 십이성 내력을 쏟아붓는 상황이었다. 내공에 관한 한 당대 제일을 자신하던 금강천존이 당황하고 분노하고 기가 질리는 건 너무나도 당연했다.

'어, 어디서 감히!'

나를 농락하려 드느냐!

소리치고 싶었다.

분노의 일갈(一喝)을 터뜨리고 싶었다.

하지만 아쉽게도 지금의 금강천존에게는 그럴 만한 여유가 없었다. 입을 벌리는 동시에 한껏 응축되어 있던 내력이 일말이라도 흐트러진다면 그대로 승패가 결정될 테니까.

그러나 위천옥은 달랐다.

"분해?"

소년은 웃으며 말했다.

"분할 것 없어. 상대가 다름 아닌 난데, 외려 이만큼 버티고 있다는 것 자체가 대단한 거야. 천하 무림인들을 통틀어서도 열 손가락 안에 들 정도의 내공이야. 그건 내가 보증해 줄게."

위천옥은 진기가 새어 나가거나 흩어지는 것을 전혀 두려워하지 않은 채 주절주절 이야기를 늘어놓았다. 그러는 동안 금강천존의 천위들과 무사들이 다시 정비를 가다듬고 위천옥을 공격하려 했다.

하지만 이미 때는 늦었다. 그들은 허 노야와 청노, 그리고 대청 이곳저곳에 숨어 있던 이들에게 가로막혀 한 걸음도 움직일 수가 없게 되었다.

"정파 놈들이라는 게 암습이라니, 어째 하는 짓거리들이 사파보다 더 지저분하냐?"

허 노야는 혀를 차며 말했다.

"우리는 그저 가만히 서서 대장끼리 싸우는 걸 지켜보면 되는 게야. 알겠느냐?"

"맞아. 오래간만에 허 영감이 옳은 소리를 했네."

위천옥은 여전히 싱글거리며 계속해서 말을 이어 나갔다.

"어쨌든 마음에 들어. 너만큼 날 즐겁게 해 준 사람은 꽤 오래간만이니까. 다들 일 초도 못 버티고 나가떨어졌으니까. 역시 금강천존이라는 별호가 아깝지 않아."

금강천존의 얼굴이 새빨갛게 달아올랐다. 당장이라도 저 이죽거리는 얼굴을 후려갈기고 싶었지만, 그저 위천옥의 쌍장에서 쉬지 않고 뿜어져 나오는 장력을 막는 것만으로도 지쳐 쓰러질 것만 같았다.

"좋아! 마음에 들었으니까 내가 한 번 은혜를 베풀겠어. 이제 전력을 다할 테니까, 열을 헤아릴 때까지만 버티면 널 풀어 주겠어. 아, 물론 이곳의 수하들이나 포위망을 펼치고 있는 자들 역시."

위천옥은 오만하게 말했다.

금강천존을 이를 악물었다. 그의 평생, 이렇게 수치와 수모를 당한 적은 단 한 번도 없었다.

그의 얼굴이 광폭하게 변했다. 걷잡을 수 없이 요동치는 분노와 살의(殺意)가 전신을 휘감았다.

바로 그때, 위천옥이 숫자를 세기 시작했다.

"하나."

일순, 금강천존의 힘껏 내뻗은 양손이 떨렸다. 맞부딪치고 있는 위천옥의 장력이 한결 강해졌던 것이다.

"둘."

금강천존의 앙다문 입에서 핏물이 흘렀다.

"셋."

금강천존이 주춤거리며 물러섰다. 그의 얼굴에 굵은 핏줄이 새겨졌다.

"천존!"

"천존!"

깜짝 놀란 천위들이 소리치는 가운데, 다시 위천옥의 입에서 숫자가 흘러나왔다.

"넷."

일순 위천옥의 장력이 금강천존의 금강항마력을 압도하며 밀어냈다. 금강천존은 연거푸 네 걸음이나 밀려 나갔고, 어느새 위천옥의 장력은 금강천존의 손바닥 바로 앞까지 밀려 들어왔다.

'더는 무리다.'

금강천존은 다급하게 머리를 굴렸다. 이대로라면 아무것도 하지 못한 채 무너지게 된다. 뭔가 각오를 해야 하는 순간이 온 것이다.

상황은 급박했고 판단은 빨랐으며, 행동은 그 어느 때보다 신속했다.

금강천존은 어깨를 틀며 왼손을 뺐다. 방해물이 사라지자 위천옥의 장력은 거칠 것 없이 금강천존의 왼쪽 어깨를 강타했다.

미리 어깨를 틀었다고는 했지만 그것만으로 위천옥의

성난 노도와 같은 장력을 모두 피할 수는 없었다.

쾅!

엄청난 충격과 함께 그의 왼쪽 어깨는 산산이 부서졌다.

하지만 금강천존은 물러서거나 쓰러지지 않았다. 외려 위천옥의 장력이 자신의 왼쪽 어깨를 비껴 맞히는 순간, 그 힘을 이용하여 팽이처럼 몸을 회전하며 그 자리를 빠져나왔다.

동시에 금강천보(金剛天步)를 밟아 단숨에 위천옥에게 다가간 다음, 최대한 모아 두었던 금강항마력의 장력을 그의 왼쪽 옆구리에 힘껏 쑤셔 박았다.

그것은 그야말로 눈 깜짝할 사이에 일어난 일, 천위나 무사들은 물론 그들을 막아선 이들까지, 심지어 허 노야까지 미처 제대로 대응을 할 수 없을 정도로 순식간에 벌어진 일이었다.

"컥!"

짧은 비명이 터졌다. 위천옥의 지근거리까지 다가선 금강천존의 턱이 들렸다. 순식간에 위천옥의 무릎이 그의 턱을 강타한 것이다. 고통과 충격으로 열린 입에서 비명이 흘렀고 피가 튀었다.

위천옥은 동시에 손을 뻗어 금강천존의 왼 손목을 잡고는 반대편으로 꺾었다.

한껏 모아 두었다가 발출하려 했던 금강항마력은 애꿎

은 지면을 강타했고, 쾅! 하는 소리가 이어지면서 우드득! 뼈와 관절이 송두리째 박살 났다.

위천옥은 금강천존의 턱을 강타한 발을 높이 치켜들고는 그대로 정수리를 내리쳤다.

엄청난 고통과 충격 속에서도 금강천존은 몸을 비틀어 그 한 수를 피하려 했지만 소용이 없었다. 위천옥의 발길질은 섬전(閃電)보다 빠르게 그의 정수리를 내리갈겼다.

와작!

수박 빠개지는 소리와 함께 금강천존은 얼굴부터 지면에 내리박았다. 코가 으스러지고 이가 부러졌다. 박살 난 정수리에서 뇌수(腦髓)가 흘러나왔다.

위천옥은 태연하게 금강천존의 뒷덜미에 발을 올렸다. 그리고 가볍게 힘을 주며 말했다.

"재밌었어."

우지끈!

목뼈가 부러지는 소리가 대청 가득 울려 퍼졌다.

3. 단번에 부수는 거야

"천존!"

"천존!"

천위와 무사들이 부르짖으며 마구잡이로 덤벼들었다. 하지만 허 노야들이 결코 용납하지 않았다.

"어딜!"

허 노야는 지팡이를 가볍게 휘두르며 천위들을 찌르고 베고 후려갈겼다. 그의 지팡이가 허공을 가를 때마다 피가 사방으로 튀었다.

금강군의 몇몇 무사들은 지면에서 솟구친 칼에 의해 발목이 잘렸다. 워낙 순간적으로 벌어진 일이라 무사들은 제 발목이 잘린 것도 인지하지 못한 채 달려 나가다가 그대로 고꾸라졌다.

청노는 그렇게 쓰러진 자들의 목을 과일 따듯 하나씩 잘랐다.

순식간에 상황이 정리되었다. 다섯 명의 천위와 열 명의 무사들은 제대로 반응 한 번 하지 못한 채 목숨을 잃고 바닥에 쓰러졌다.

사실 이렇게 간단하게 당할 정도의 수준은 아니었다. 천위와 특급무사들 역시 나름대로 강했고, 그들에게는 최소한 한 식경가량은 버티며 저항할 힘이 있었다.

그러나 바로 눈앞에서 금강천존이 처참하게 목숨을 잃는 광경을 목도하는 순간 그들은 이성을 잃었고, 허 노야나 다른 적들은 아랑곳하지 않은 채 오로지 위천옥만을 노리고 달려 나갔다.

행여나 아직 살아 있을지 모르는 금강천존을 구하기 위해 자신의 안위는 상관하지 않은 채 위천옥에게 덤벼들었던 것이다.

"물론 그 충의와 용기는 가상하다만, 그래도 죽느냐 사느냐 하는 싸움 속에서 끝까지 이성을 놓으면 안 되는 게지."

허 노야는 피와 기름이 끈끈하게 묻어 있는 지팡이를 휘둘러 털어 내며 중얼거렸다.

"흠, 그럼 허 영감은?"

갑자기 위천옥이 물었다. 허 노야는 저도 모르게 움찔거리며 돌아보았다. 위천옥은 여전히 금강천존의 목덜미를 밟은 채 웃으며 재차 물었다.

"내가 지금 이 늙은이 같은 상황에 처한다면, 그때 허 영감은 저 멍청이들처럼 마구 달려들 거야? 아니면 이성을 놓치지 않고 상황 파악을 한 다음에 도망칠 거야?"

"그게 무슨 소리이십니까?"

허 노야는 발끈해서 말했다.

"애당초 저라면 소야를 그런 상황에 처하지 않게 할뿐더러, 행여 그런 상황이라면 제 목숨 따위 상관하지 않고 소야를 구하려 들 겁니다."

"그래. 그럴 거야."

위천옥은 문득 진지한 표정을 지으며 말했다.

"그러니 저 멍청이들을 비웃지 마. 멍청이들이기는 하

지만 주인을 위하는 충의만큼은 허 영감이나 여기 있는 다른 사람들 못지않으니까."

"아…… 죄송합니다."

"뭐, 죄송할 것까지는 없고."

위천옥은 비로소 금강천존의 목에서 발을 떼며 말했다.

"그럼 가자고."

"네?"

허 노야는 눈을 휘둥그레 뜨며 물었다.

"가자니, 어디를요?"

위천옥이 가볍게 눈살을 찌푸리며 말했다.

"이 늙은이가 쳐들어오기 전에 이야기했잖아? 그 철목가주인가 뭔가 하는 작자를 해치우러 가자고 말이지."

"지금 당장 말씀이십니까?"

"왜? 적당히 준비 운동도 했는데."

"그, 그야……."

"설마 한 주먹거리도 안 되는 포위망 때문에 망설이는 건 아니겠지?"

"그럴 리가요."

허 노야는 살짝 망설이며 말을 덧붙였다.

"하지만 철목가주 곁에는 금강천존 못지않은 자들이……."

"됐어."

위천옥이 손사래를 치며 허 노야의 말을 잘랐다. 그는

불쾌하다는 표정을 지으며 말했다.

"자꾸만 그렇게 이거저거 재면서 미적거리니까 여태 아무것도 못하고 있는 거야. 계획이니 뭐니 하는 건 힘이 없는 자들의 발버둥과 같은 거라고. 적을 몰살시키는 데 가장 좋은 계획이 뭔지 알아?"

"뭐, 뭔지요?"

"단번에 부수는 거야. 적들이 생각도 못하게, 그 어떤 꿍꿍이도 꾸미지 못하게 최단 시간 내에 박살을 내는 거지."

위천옥은 어깨를 으쓱거리며 말했다.

"그런 의미에서라도 지금 당장 철목가주에게 가야 하는 거지. 아직 저들이 금강천존의 죽음을 모를 때 말이야."

"아…… 네, 알겠습니다."

허 노야는 뭔가 이상하다는 느낌을 떨치지 못하면서도 점점 위천옥의 이야기에 빠져들었다.

그의 말은 허점투성이였고 논리가 빈곤한 이야기였지만, 왠지 그럴듯해서 묘하게 사람을 수긍케 만드는 효력이 있었다.

"좋아. 그럼 다들 가지."

위천옥은 대청 밖으로 걸음을 옮기려다가 문득 마음을 바꿨는지, 허 노야에게 말을 건넸다.

"아, 그래도 귀찮은 건 질색이니까 우리 측 사람들도 최대한 모으는 게 낫겠다. 백 마리의 하루살이는 역시 백 마리의 하루살이로 대응하는 게 편하지."

"그럼 잠시만 기다리십시오. 제 수하들을 모두 불러 모으겠습니다."

허 노야는 엉겁결에 대꾸했다. 위천옥은 다시 자리로 돌아가 앉으며 불쑥 물었다.

"황계는?"

"네에?"

"황계 측에도 써먹을 만한 무사들이 있잖아?"

"아, 그야 그렇죠. 하지만 그들을 동원하려면 십삼매의 동의가 있어야지……."

"그럼 십삼매도 불러와."

"네?"

"정말 마음에 안 드네. 아니면 내가 직접 움직여서 십삼매의 머리끄덩이를 붙잡고 질질 끌고 오는 걸 보고 싶어?"

"그, 그건…… 아닙니다. 십삼매도 최대한 빨리 이곳으로 오게끔 하겠습니다."

"그래."

위천옥은 다리를 꼬고 턱을 괴면서 말했다.

"게다가 포위망을 무력화시키는 건 안에서 밖으로 뚫는

것보다 밖에서 안으로 뚫어 내는 게 더 쉬운 방법이니까.”

그렇게 중얼거리던 위천옥은 문득 배를 만지며 투덜거렸다.

“배고파. 뭐 먹을 것 좀 가져와. 간만에 사천에 왔으니 매운 음식이 먹고 싶군그래.”

허 노야와 청노는 저도 모르게 서로를 돌아보았다. 허 노야는 내심 한숨을 쉬며 고개를 숙였다.

“네. 얼른 대령하겠습니다. 동시에 제 수하들도 부르고 십삼매와 황계의 무사들도 동원하겠습니다.”

“암, 그 정도는 한꺼번에 해치워야 내 허 영감이지. 안 그래?”

허 노야는 쓴웃음을 흘리며 대답했다.

“물론입니다, 소야.”

* * *

“보고에 따르자면 금강천존의 금강단(金剛團) 소속 백오십 무사들과 예비 병력까지 포함한 삼백여 무사들이 천수호동 출입구 열세 곳을 봉쇄하는 등의 포위망을 치는 중이라고 합니다.”

양위는 성도부 곳곳에 나가 있는 순찰조들이 보내온 전갈을 정리하여 보고했다.

지금 대청에는 강만리의 지시를 통해 빠르게 소집된 사람들이 모여 있었다.

담우천과 화군악, 장예추와 설벽린의 무림오적은 물론, 아란과 고굉, 유 노대와 만해거사, 그리고 정유와 헌원 노대까지, 이른바 화평장의 수뇌부라 할 수 있는 이들이 모두 한자리에 모여서 양위의 보고를 듣고 있었다.

"천수호동에 뭐가 있지?"

강만리가 고개를 갸웃거릴 때, 고굉이 그것도 모르냐는 투로 대꾸했다.

"유령교의 안가 중 한 곳이 그곳에 마련되어 있지 않습니까? 어허, 이거 성도부의 미친 호랑이도 이제 한물 간 거 아닙니까? 저보다도 모르시다니요?"

강만리는 눈을 가늘게 뜨고 고굉을 노려보았다. 하지만 고굉은 계속해서 거들먹거리며 양위를 향해 말했다.

"그래, 내 아이들에게서 뭐라고 연락이 왔는지 계속 이야기해 보게."

양위는 쓴웃음을 흘렸다.

사실 성도부 곳곳에 포진된 조원들은 모두 구(舊) 흑룡방의 인물들로, 저 무적가가 벌였던 광란의 하룻밤 사이에서 살아남은 고굉의 졸개들이었다.

그들은 성도부의 뒷골목에서 나고 자랐기에 누구보다도 이곳 성도부에 대해 잘 알고 있었다. 이곳 지리는 물론이거니와 각 동네에 누가 사는지, 누구 집에 젓가락이 몇 개인지까지 시시콜콜하게 아는 자들이었다.

강만리는 고굉을 통해 그들까지 화평장의 일원으로 흡수했다. 그리고 그들은 강만리의 의도대로 성도부 곳곳에 퍼져 살면서 보고 듣고 훔친 정보들을 시시각각 화평장으로 보내는 임무에 충실했다.

지금 양위의 보고도 바로 그들이 전달한 내용이었다.

4장.

사랑을 하렵

"투표로 결정합시다.
이곳에 모여 있는 사람이 모두 열한 명이니까,
여섯 명의 찬성이 있으면 바로 결행하겠습니다. 자, 찬성하시는 분은 손을."
강만리는 그렇게 말을 맺으며 손을 들었다.

1. 더 좋은 기회

양위는 계속해서 말했다.

"고 장주의 말씀이 맞는 것 같습니다. 금강군의 포위망이 완성되는 동시에 금강천존으로 짐작되는 노인이 천수호동에 모습을 드러냈다고 합니다. 그리고 얼마 지나지 않아 집이 무너지는 듯한 요란한 소리가 있었고, 또 그로부터 한 식경도 안 되어서 유령교의 형제들이 그곳으로 출격, 현재 포위망을 치고 있던 금강군과 접전을 벌이는 중이라 합니다."

그게 수십 명의 구 흑룡방 사람들로부터 전해져 온 내용을 종합한 이야기였다.

"금강천존이 직접 나섰다면……."

잠시 생각하던 화군악이 고개를 갸웃거리며 입을 열었다.

"그 천수호동의 안가에 허 노야라도 은신하고 있었을까요?"

강만리는 고개를 끄덕였다.

아마도 그럴 가능성이 높았다. 지금 철목가는 유령교와 무림오적을 찾기 위해 성도부 전체를 들쑤시고 다니는 중이었다. 그런 와중에 금강천존이 직접 움직였다면 역시 그곳에 허 노야가 있는 게 분명했다.

"유령교를 도와줘야 하지 않나요?"

장예추가 조심스레 말했다.

"금강천존이라면 아무리 허 노야라 하더라도 쉽게 상대할 수 없을 테니까요. 거기에다가 삼백의 정예 무사라면……."

"뭐 굳이 그럴 필요가 있을까 싶어, 나는."

화군악이 팔짱을 끼며 말했다.

"나도 루호 형님을 비롯해서 유령교 형제들이 마음에 들기는 하지만…… 지금 이 상황에서 우리의 정체나 이 화평장이라는 존재가 자칫 발각될 수 있는 행동은 조금이라도 하지 않았으면 하거든. 그러니 되도록 우리는 움직이지 않는 게 좋을 것 같아."

일리 있는 말이었다.

철목가가 성도부에 있는 한, 화평장 사람들은 최대한 조심해서 움직여야 했다. 행여 화평장의 존재가 들키기라도 하는 날에는 무림오적 뿐만이 아니라 그들의 아내와 자식, 가족 모두가 위험에 빠질 수 있었으니까.

"그렇다고 마냥 손가락만 빨고 있을 수는 없잖아? 만에 하나, 금강천존에게 패배한 허 노야가 고문을 견디지 못하고 우리에 대한 이야기를 흘릴 수도 있으니까."

"그럴 가능성은 거의 없다고 봐."

"왜지?"

"그야 허 노야가 그럴 사람이 아니니까."

장예추의 말에 화군악이 크게 한숨을 쉬며 동의했다.

"물론 나도 그렇게 생각해. 태극천맹에 대한 허 노야의 복수심이야 우리와 비할 바가 못 되니까. 하지만 사람 일이라는 게 그렇게 단순한지만은 않다고. 저 백염살귀도 결국 담 형님의 고문 앞에서 모든 걸 실토했잖아."

"아!"

피곤했는지 늘어지게 하품을 하면서 듣고만 있던 설벽린이 제 무릎을 치며 소리쳤다. 사람들의 시선이 일제히 그에게로 향했다.

"혹시……."

설벽린은 그 시선들은 아랑곳하지 않은 채 양위를 보며 물었다.

"위천옥에 관한 보고는 없었습니까?"

양위의 얼굴이 살짝 굳어졌다.

"위천옥이요?"

"네. 그가 어디로 향했는지, 어느 곳에 있는지 하는 소식 말입니다."

"네. 그건 받지 못했습니다."

양위가 대답할 때였다. 강만리도 뭔가를 눈치챈 듯 "으음." 하면서 입을 열었다.

"그렇군. 허 노야가 있는 안가라면 확실히 그럴 것 같군."

"아! 그렇겠네요. 그러면 외려 금강천존을 걱정해야 하는 건가요, 이제?"

화군악까지 알 듯 모를 듯한 말을 하자 고굉이 답답해하는 표정으로 물었다.

"그게 무슨 말인지 툭 터놓고 이야기해 주십쇼. 위천옥이라니요? 그리고 백염살귀는 또 누구입니까?"

강만리는 머리를 긁적였다.

생각해 보니 고굉은 위천옥의 지시를 받은 백염살귀가 화평장을 얼씬거리다가 진식에 갇혀서 포로가 된 일에 대해 전혀 모르고 있었다. 또한 아란과는 달리, 위천옥에 대해서 이야기를 나누는 자리에 단 한 번도 참석하지 못했다.

"쳇, 귀찮지만……."

강만리는 투덜거리며 말했다.

"이제 자네도 우리 한 식구이니만큼 혼자 모르는 게 있으면 안 되겠지. 나중에 아란이나 군악에게 들어."

"네? 그럼 아란 소저는 알고 있습니까? 저만 모르고 있는 이야기입니까?"

"아, 말 많다. 어떻게 하다 보니까 자네가 없는 자리에서 이야기가 나온 것뿐이라고."

"하지만……."

"설마 내가 자네를 따돌린다고 생각하는 건가?"

"그, 그건……."

"애당초 그럴 생각이었다면 지금 이 자리에 자네를 불렀겠나? 그냥 자도록 가만 놔뒀겠지."

"그, 그야……."

"아란에게도 물어봐. 그녀도 위천옥이라는 자에 대해 알게 된 건 그리 오래되지 않았으니까."

강만리의 말에 고광이 아란을 돌아보았다. 아란은 승리자라도 된 듯 환하게 웃으며 말했다.

"오늘 낮에 들었답니다."

"낮에?"

"네. 터무니없을 정도로 강한 괴물이라고 하더군요. 황계와 유령교 측에서 키워 낸……."

"터무니없을 정도로 강한 괴물?"

고굉은 저도 모르게 담우천에게로 고개를 돌렸다. 담우천은 묵묵히 차를 마시는 중이었다.

"자, 자. 잡담은 나중에 하기로 하고."

강만리가 손뼉을 치며 주위를 환기시켰다. 그는 진중한 얼굴로 이야기를 이어 나갔다.

"위천옥이 성도부에 온 목적이 유령교나 황계 쪽 사람들을 만나는 것이라면 아마도 지금쯤 허 노야와 대면하고 있을 가능성이 매우 높아. 반면 금강천존은 위천옥의 존재를 모른 채 허 노야를 좇아 그곳에 갔을 테고."

"금강천존도 안 될까요?"

장예추가 묻자 강만리는 자신도 모르겠다는 듯이 어깨를 으쓱거리며 대답했다.

"글쎄. 나야 두 사람의 실력이 어떤지 전혀 모르니까."

강만리는 계속해서 말을 이었다.

"그리고 사실 예추 네 말마따나 누가 이기는지 상관없어. 당면의 적이 오대가문이기는 하지만, 유령교나 황계 역시 미래의 적일 수 있으니까. 최대한 그들의 전력이 소모되는 게 우리에게는 좋아."

구석진 자리에 앉아서 가만히 차를 홀짝거리고 있던 정유가 불쑥 입을 열었다.

"태극천맹까지는 생각하지 않으시나 봅니다."

강만리가 웃으며 말했다.

"태극천맹이야 자네가 있으니까. 그리고 맹주와도 약속을 했으니까. 그쪽에서 약속을 지킨다면 결코 우리가 먼저 배신하지는 않을 거야."

정유도 따라 웃으며 말했다.

"그렇죠. 배신할 리가 없죠."

"그래서 태극천맹을 제외한 거고. 그건 그렇고…… 양당주."

강만리가 갑자기 양위를 불렀다. 양위가 깜짝 놀라며 대답했다.

"말씀하십시오, 장주."

"금강천존과 유령교의 싸움을 우리가 알고 있다면 당연히 철목가주도 알고 있겠지?"

순간 차를 마시던 정유가 희미하게 움찔거렸다. 다들 강만리와 양위를 바라보느라 미처 그 기색을 알아차리지 못했지만, 오직 한 명 맞은편에 앉아 있던 담우천만이 그를 조용한 눈길로 바라보았다.

"아마 알고 있을 거라고 생각합니다."

양위가 조심스럽게 자신의 생각을 이야기했다.

"금강천존 정도 되는 인물이 혼자서 함부로 움직이진 않을 겁니다. 또한 자신의 단원에다가 예비 병력까지 모두 동원한 걸로 보아 확실히 철목가주도 이 사실을 알고 있을 거라고 생각됩니다."

"흐음, 그리고 당연히 금강천존이 이길 거라고 생각하겠지?"

"당연하겠죠. 삼백 명의 정예 무사와 금강천존이 직접 움직였는데 설마 질 거라고는 전혀 상상하지 않을 겁니다."

"좋아."

강만리는 천천히 고개를 끄덕이다가 다시 물었다.

"참, 예비 병력까지 다 동원했으니까 지금 철목가주 주변에는 몇 명 남아 있지 않겠네?"

일순, 사람들은 저마다의 의미를 가진 시선으로 강만리를 바라보았다. 그들 모두 심장이 쿵쾅거리기 시작했다. 지금 그렇게 묻는 강만리의 의도를 알 것 같기 때문이었다.

양위는 더욱 조심스레 대답했다.

"하지만 최정예들이 남아 있을 겁니다. 호법 가신들과 철목칠십이살이라 불리는 최고수들이……."

"이번 행차에는 여섯 명의 호법 가신이 함께했습니다."

문득 설벽린이 양위의 말을 가로채며 나섰다. 사람들의 이목이 그에게로 집중되었다. 설벽린은 차분한 어조로 말을 이어나갔다.

"그중 셋은 이미 목숨을 잃었습니다. 또 십이호법 중 여섯 명만 따라온 걸로 보건대 칠십이살 역시 전부가 움직이지는 않았을 거라고 여겨집니다. 만약 철목가주 정극신을 죽이겠다고 하신다면 지금보다 더 좋은 기회는 없을 거라 여겨집니다."

"으음."

"아……."

그의 냉정한 말에 사람들은 의미 모를 탄식을 흘리면서, 반사적으로 정유를 바라보았다. 몇몇 이들은 차마 정면으로 정유를 바라볼 수 없었는지 눈동자만 돌려 그의 표정을 훔쳐보려 했다.

정작 정유는 태연했다.

지금 자신의 부친을 살해하자는 논의를 하고 있음에도 불구하고, 그는 손가락 하나 눈썹 하나 흔들리지 않았다. 외려 사람들의 시선이 자신에게로 쏠리자 그는 빙긋 웃으며 조용하게 말했다.

"아, 저는 버린 자식이거든요. 전혀 신경 쓰지 않으셔도 됩니다."

시원시원한 말이었지만 누구 하나 그에 대꾸하는 사람이 없었다. 다들 굳이 정유와 시선을 마주치지 않으려고 고개를 돌리거나 헛기침을 했다.

어색한 공기가 감도는 가운데 입을 연 이는 강만리였다.

"좋아. 그럼 냉정하게 이야기하겠습니다. 나는 철목가

주를 해치우는 데 있어서 지금 이 상황보다 더 좋은 기회가 없다고 생각합니다. 그리고 지금 우리 전력이라면 충분히 가능한 일이기도 하고."

사람들의 표정이 진중해지는 가운데 강만리는 그들의 면면을 들여다보며 말을 이어나갔다.

"투표로 결정합시다. 이곳에 모여 있는 사람이 모두 열한 명이니까, 여섯 명의 찬성이 있으면 바로 결행하겠습니다. 자, 찬성하시는 분은 손을."

강만리는 그렇게 말을 맺으며 손을 들었다.

2. 내가 그리 약한가?

"한 번은 참겠다."

정극신은 부복하고 있는 항조군을 내려다보며 말했다.

"두 번 다시 내 명령을 따르지 않고 제멋대로 행동하면 그때는 죽은 목숨인 줄 알라."

농담이나 협박이 아니었다. 정극신은 반드시 그렇게 할 인물이었다.

사실 평소 정극신의 불같은 성격을 생각한다면 지금 이렇게 한 번 참아 주는 것만 해도 대단한 일이었다.

물론 항조군이 무작정 정극신의 명령을 따르지 않은 것

도 있거니와, 또 항조군이 가져온 보고가 상당히 중대하다는 사실도 참작했을 것이다.

"용서해 주셔서 감사합니다. 앞으로는 반드시 가주의 명을 따르겠습니다."

항조군은 진심을 담아 사죄했다.

정극신은 "흥!" 하고 가볍게 코웃음을 쳤다. 그러고는 시중을 드는 반라(半裸)의 여인들이 건네는 과일을 받아 먹었다. 믿을 수 없게도, 항조군이 외출한 그 한나절 만에 다들 다른 여인들로 교체되어 있었다.

정극신은 귀하디귀한 생과일을 우적우적 씹으면서 말을 꺼냈다.

"그래, 천군(天君)이 따로 병력을 요구하지는 않더냐?"

천군은 금강천존을 칭하는 또 다른 별명이었다. 금강천존은 무적검군과 비룡맹군처럼 한 군단을 이끄는 수장이라 하여 금강천군(金剛天君)이라는 별칭으로 불리기도 했다.

항조군은 부복한 채 대답했다.

"미리 천군의 단원과 예비 병력까지 해서 삼백의 무사를 차출했습니다."

"그것으로 유령교의 잔당들을 말살할 수 있다?"

"천군의 생각은 그러한 듯합니다."

"흠, 그럼 됐다."

금강천존에 대한 정극신의 신뢰는 상당한 터, 더는 그에 관한 이야기를 하지 않았다. 대신 그는 반라의 여인이 건네준 청포도 한 알을 먹으면서 화제를 돌렸다.

"자네가 자리를 비운 동안 맹군의 시신을 살펴보았다."

항조군은 저도 모르게 고개를 들 뻔했다.

사실 그가 금강천존을 만나러 외출하기 전 정극신이 내린 명령은 두 가지였다. 비룡맹군의 시신을 잘 닦아서 가져오라는 것과 흑우를 대령하라는 지시가 바로 그것이었다.

"그를 죽인 자는 우선 무적가 사람이 아니다."

'그럼 유령교 사람입니까?'

항조군은 정극신의 말에 그렇게 질문하고 싶은 걸 억지로 참았다. 만에 하나 자신의 질문으로 인해 정극신의 기분이 상한다면 더는 그의 자비를 구할 수 없을지 몰랐으니까.

"검강(劍罡)에 당했더군. 그것도 상당한 내력이 실린 검강이야. 설령 무적검군이라 할지라도 펼칠 수 없는 최상급의 검강이었다."

"아아……."

항조군은 결국 참지 못하고 탄식을 흘렸다. 동시에 그의 머리가 빠르게 돌아가기 시작했다. 그러는 동안에도 정극신의 말은 계속해서 이어졌다.

"유령교도 아닐 게야. 우선 그 정도 검강을 펼치는 고수라면 유령신마뿐일 텐데, 그 사악한 늙은이는 검을 사용하지 않거든."

'그럼…… 무림오적?'

항조군의 뇌리에 그 네 글자가 떠오르는 순간, 정극신의 입 밖으로도 그 글자들이 흘러나왔다.

"무림오적이라고 했었던가?"

정극신은 가볍게 눈살을 찌푸리며 말했다.

"그자들 중에 무적가 가주를 해친 놈이 있다고 했지, 아마? 건곤가의 천 가주가 그렇게 이야기를 했던 것 같은데……. 흠, 만약 무적가 가주를 해친 자가 무림오적 중 한 명이라면, 그리고 그자가 유령교와 협력하고 있다면 확실히 맹군을 죽인 검강의 주인일 수도 있겠다는 생각이 들었다."

"놀라운 식견이십니다."

항조군은 진심으로 말했다.

"마침 속하 역시 무림오적을 떠올린 참이라…… 어찌 그렇게 예리하고 날카로운 추론을 하실 수가 있는지 놀랐습니다."

"뭐냐?"

정극신은 탐탁지 않다는 투로 말했다.

"마침 무림오적을 떠올렸다니, 지금 자네가 나와 같은

식견을 지녔다고 자랑하는 게냐?"

"아, 아니…… 그게 아닙니다. 죄송합니다. 잘못 말씀드렸습니다."

당황한 항조군은 식은땀까지 흘리며 서둘러 변명했다.

"속하가 무림오적을 떠올린 건 그저 일말의 감에 불과합니다만, 가주께서 무림오적을 언급하신 건 그야말로 탁월한 논리와 추론에 의해서이니까요. 확실히 다릅니다."

"흠, 왠지 고약한 뒷맛이 없지는 않지만 더는 나무라지 않겠다. 어쨌든 무림오적이라는 자들이 일개 낭인이나 용병이 아닌 게 확실한 만큼 천군에게 좀 더 사람을 보낼 필요가 있겠구나."

정극신의 지금 이야기는 항조군조차 미처 생각하지 못했던 사안이었다.

금강천존이 유령교의 수뇌들과 싸울 때, 무적가 가주를 죽이고 비령맹군을 암살한 무림오적들이 금강천존의 등뒤를 노린다면…… 그 승부는 결코 금강천존에게 유리하지 않았다.

'미처 그것까지 파악하지 못했다.'

항조군은 내심 정극신의 넓은 식견에 감탄했다.

비록 성격이 급하고 오만하며 생명의 중함을 모르기는 하지만, 그래도 철목가라는 거대 문파의 가주답게 정극신은 냉철하고 날카로운 혜안(慧眼)을 지니고 있었다.

항조군은 다시 고개를 조아리며 말했다.

"최대한 빨리 사람들을 보내겠습니다."

정극신은 고개를 끄덕이다가 불쑥 물었다.

"칠십이살 중 몇이 따라왔지?"

항조군은 모호한 표정을 지으며 대답했다.

"서른여섯 명이 왔습니다만…… 그들은 가주의 호위를 맡아야 하지 않겠습니까?"

"그들이 없으면 안 될 정도로 내가 그리 약한가?"

"아, 아니, 그게 아니라……."

"됐다. 삼호법만으로도 나는 충분하니 삼십육살 모두 천군에게 보내도록 하라."

"아, 알겠습니다."

"그래, 가 봐라."

정극신은 손사래를 쳤다.

기다렸다는 듯이 옆의 여인들이 향긋한 술을 머금은 입술로 그의 입을 덮었다.

그것으로 가주 정극신과의 이야기는 끝났다. 항조군은 고개를 조아린 채 객청을 빠져나왔다. 이미 날은 어두워졌고 별채 정원 석등에는 불이 밝혀져 있었다.

항조군은 길게 숨을 들이마셨다. 차가운 밤공기가 그의 폐부를 깨끗하게 씻겨 주었다. 객청에는 온갖 달콤한 향기와 여인들의 지분 냄새, 속살 냄새로 뒤덮여 있어서 코가 삐뚤어질 것만 같았다.

'참 정력도 좋으시다니까.'

객청을 오갈 때마다 한결같이 떠오르는 상념이었다. 그 나이에 그렇게 절륜한 정력을 가진 자는 천하를 통틀어도 몇 되지 않을 것이다.

항조군은 잠시 객청 입구에 서서 등 뒤로 들려오는 교성(嬌聲)을 감상하다가 천천히 걷기 시작했다.

'가만있자, 지금 이곳의 병력이 얼마나 남았지?'

항조군은 예비 병력마저 차출된 이 객잔의 병력에 대해서 손가락까지 동원하여 계산했다.

'무적검군과 비룡맹군의 군단 중 제대로 싸울 수 있는 병력이 백여 명 정도 되려나? 그 정도 숫자라면 대충 이곳을 경비할 수 있는 병력은 되겠군.'

정원을 가로질러 월동문을 빠져나가자 새로운 별채가 모습을 드러냈다. 별채 앞마당에는 만인평에서 부상을 당한 자들이 모인 막사가 빽빽하게 들어서 있었다.

어제오늘 아침까지와는 달리 여기저기에서 신음이 크게 들리지 않는 걸 보면 부상자들의 상태가 많이 나아졌거나 아니면 죽을 자들은 모두 죽은 모양이었다.

항조군은 막사를 둘러보다가 별채로 향했다. 별채 객청에는 십여 명의 무사들이 아무렇게나 쓰러져 있다가 항조군을 보고는 자리에서 벌떡 일어났다.

"됐다. 쉬어라."

항조군은 부드럽게 말하며 무사들을 둘러보았다.

"조 부관은 어디 있지?"

무사 중 한 명이 조심스레 대답했다.

"용서하십시오. 안쪽 처소에서 잠자고 있습니다. 어제 하루 종일 잠을 자지 못해서……."

"질책하려는 게 아니다. 단지 보고를 들을 게 있어서 그런 게니 너무 신경 쓰지 말도록."

"그럼 깨워 오겠습니다."

"아니, 됐……."

항조군이 만류하기도 전에 무사는 곧장 복도를 따라 사라졌다.

얼마 지나지 않아 퍼석한 얼굴과 퀭한 눈빛을 지닌 무사가 잠에서 덜 깬 모습으로 달려왔다. 바로 조 부관이었다. 그리고 오늘 오전에 항조군이 따로 흑우를 찾아오라고 지시를 내렸던 바로 그 무적검군의 부관이었다.

"부르셨습니까?"

목이 잠긴 듯한 목소리가 고개 숙인 그의 입에서 흘러나왔다.

"미안하군. 자는데 깨워서."

"아닙니다. 안 그래도 일어날 때가 되었습니다."

"그럼 다행이고. 그래, 흑우는 찾았고?"

항조군의 질문에 일순 조 부관은 당황해 했다. 그는 황급히 머리를 조아리며 말했다.

"죄송합니다. 총관 말씀대로 수하들을 시켜 관아 인근은 물론, 추관 학여춘이라는 자의 주변도 샅샅이 뒤졌는데 전혀 찾을 수가 없었습니다. 또한 이리저리 수소문도 해 봤지만 아무도 흑우의 행적에 대해서 알지 못했습니다. 제룡사 이후 흑우를 본 사람은 아무도 없습니다."

"흐음."

항조군은 턱수염을 매만지며 생각했다.

'내 추측대로라면 흑우는 학여춘을 암살하러 갔을 텐데…… 여태 돌아오지 않는다는 건 역시 실패했다는 뜻일까?'

추측이었지만 가능성이 꽤 큰 추측이었다. 항조군은 눈살을 찌푸리며 속으로 투덜거렸다.

'애당초 실종된 세 호법을 찾기 위해서 흑우를 필요로 했던 건데 이번에는 그 흑우조차 실종되다니…… 정말이지 일이 어디서부터 이렇게 꼬인 건지…….'

가슴이 답답하고 우울해졌다. 불안하고 불길한 기분을 지울 수가 없었다. 이 머나먼 타지에서 이런 고생을 하느니 얼른 항주로 되돌아가고 싶었다. 철목가의 총관이니 뭐니 하는 직책을 모두 던져 버리고 어딘가로 도망치고 싶었다.

하지만 항조군은 곧 고개를 홰홰 내저으며 마음을 굳게 먹었다.

'이러고 있을 때가 아니다. 아직 해야 할 일들이 태산처럼 많다. 일이 매조지될 때까지 제대로 해내지 않으면 안 된다. 내가 정신을 제대로 차려야 한단 말이지.'

그는 다시 조 부관을 향해 말했다.

"힘들겠지만 계속 흑우의 행적을 수소문해 주게."

조 부관은 고개를 숙이며 말했다.

"알겠습니다."

"수고하게."

항조군은 부관과 무사들의 배웅을 받으며 객청을 나섰다. 이제 삼심육살을 찾아, 그들에게 천수호동으로 가서 금강천존을 도우라는 지시를 내려야 했다.

항조군은 빠르게 다른 별채로 발길을 옮겼다. 호법 가신들을 만나서 가주 곁을 떠나지 말라고 부탁하려는 것이었다.

3. 만나고 싶어?

"좋지 않군."

정극신은 계집의 벌거벗은 엉덩이를 주물럭거리다가

문득 투덜거리듯 말했다.

쉬지 않고 탱탱한 엉덩이를 탐하는 손길과는 달리, 그의 눈빛은 그 어느 때보다 맑고 투명했으며 그의 표정은 한없이 침착하고 진중했다.

"대충 돌아가는 낌새를 보아하니 아무래도 무적가와는 서로 함정에 빠진 것 같구나."

정극신의 양쪽에서 엉덩이를 내밀고 있는 반라의 여인들은 이를 악물며 신음을 참았다. 정극신이 한 번이라도 소리를 냈다가는 그대로 엉덩이를 찢어발기겠다고 말한 까닭이었다.

정극신은 양쪽 엉덩이를 힘껏 쥐었다가 다시 주물럭거리기를 반복했다.

그 모습은 어찌 보면 호두를 가지고 지압하듯 손을 놀리는 것 같았으며, 또 어찌 보면 정신을 집중하기 위한 일환의 행동으로도 보였다.

"애당초 우리 측 아이들과 무적가 무사들이 이곳에서 맞부딪쳤다는 것부터 수상쩍은 일이다. 아무리 서로 사이가 좋지 않다 하더라도 양패구상을 당할 정도로 치열하게 싸울 이유는 없으니까."

지금까지 전해 들은 보고를 정리해 보자면, 철목가의 무사들은 정극신의 둘째 부인과 정을 나눈 설벽린이라는 자를 쫓아서 성도부까지 왔다고 했다.

반면 무적가는 그들의 가주를 살해한 자의 뒤를 추적하면서 자연스럽게 성도부에 당도했다고 했다.

"무적가 가주를 죽인 자는 무림오적이었고…… 결국 이곳 성도부는 무림오적의 본거지였던 게다. 유령교 잔당이 은신해 있는 곳이기도 하고."

과연 그 두 조직이 성도부에 몰려 있다는 건 우연일까.

아니, 우연이 아닐 것이다. 유령교와 무림오적의 본거지가 성도부이고, 무적가와 철목가가 맞부딪친 곳도 성도부였다.

"우연을 가장한 필연(必然)……."

반드시 성사되게끔 만들어진 계획의 일부가 아닐까, 하는 생각이 정극신의 뇌리를 스쳤다.

"그래. 설벽린이라는 애송이도 무림오적의 한 명이라면…… 모든 게 딱 맞아떨어지는구나."

애당초 설벽린이 정극신의 둘째 부인과 정을 나눈 건 일부러 그를 분노케 만들어서 철목가의 정예가 성도부까지 달려오도록 꾸민 계획일 가능성이 컸다.

"호오, 대단한 지략가가 있는 모양이로군. 무림오적이라는 조직 내부에는 말이지."

정극신의 눈빛이 번들거리기 시작했다.

모로 가도 낙양으로만 가면 된다고 했던가. 이런저런 오류와 불확실한 정보로 이뤄진 그의 추론은 놀랍게도 현재 상황을 정확하게 파악하고 있었다.

"꽤 아주 오랫동안 치밀하게 계획한 거로군. 그럼 그 천 가주의 말이 옳았던 건가? 무림오적이라는 조직이 우리 오대가문을 몰살시키려고 한다는 그 엉뚱한 이야기가 말이지."

정극신의 손에 힘이 가해졌다.

여인들의 엉덩이 살이 손가락 사이로 삐져나와 그대로 터질 것처럼 팽창했다. 여인들은 살이 찢어지고 근육이 파열되는 듯한 고통을 참고 비명을 지르지 않기 위해 입술을 깨물었다.

그녀들이 흘린 눈물이 소리 없이 바닥을 적셨다.

정극신은 아랑곳하지 않고 계속해서 여인들의 엉덩이를 주물렀다가 꽉 쥐었다가를 반복했다.

"흠, 그렇다면 놈들의 최종 목적은 바로 이 몸일 터."

당연했다.

무적가의 가주 제갈보국과 그의 아들 제갈원이 첫 번째 희생자. 그리고 두 번째 희생자로 지목된 게 바로 철목가 가주인 바로 그인 게다. 그렇지 않고서야 굳이 그를 이곳 성도부까지 오게끔 계획을 세우지 않았을 테니까.

피식.

정극신은 저도 모르게 웃었다. 웃음이 절로 나왔다.

"하룻강아지 범 무서운 줄 모른다니까."

무적가의 제갈보국을 죽였다고 해서 오대가문의 가주를 너무 만만하게 보는 것이다.

하지만 제갈보국은 오랫동안 내상을 앓아 온 환자에 불과했다. 정극신이나 다른 가주들은 전혀 달랐다. 그들은 여전히 건강했으며 활력이 넘쳐흘렀다.

"흠, 초 가주에게는 그래도 조심하라고 전해 두는 게 좋을까?"

정극신은 문득 고개를 갸웃거리며 중얼거렸다.

금해가의 가주 초일방은 다른 가문의 가주들에 비해서 확실히 무공 수위가 낮았다. 금해가의 전력은 무공이 아니라 돈이었고 인맥이었으며 권력이었으니까.

"듣고 있느냐?"

정극신이 불쑥 물었다. 어딘가에서 아지랑이 같은 목소리가 흘러나왔다.

"듣고 있습니다."

"너희들 중 한 명은 금해가로 가서 지금까지 듣고 본 모든 걸 초 가주에게 전하라."

"그리하겠습니다."

한 명의 기척이 사라지는 게 희미하게 느껴졌다. 정극신조차 제대로 확인할 수 없는 미묘하고 세밀한 기척이었다.

정극신은 다시 한번 피식 웃었다.

"이 아이들을 뚫고 올 수 있다면……."

정극신은 담담하게 말했다.

"그래, 오거라. 기다리고 있을 테니까."

정극신은 힘껏 엉덩이를 쥐었다.

"아아!"

"윽!"

결국 여인들이 참지 못하고 신음을 흘렸다.

정극신은 그 신음을 듣지 못한 듯 오로지 정면을 쏘아보며 중얼거렸다.

"왜 오대가문이 당금 천하를 지배하고 있는지 똑똑하게 가르쳐 주마."

* * *

"만나고 싶어?"

십삼매가 부드러운 어조로 물었다.

소홍은 대답하지 않았다. 눈을 동그랗게 뜨고 겁에 질린 듯, 혹은 믿을 수 없다는 듯한 표정을 지은 채 십삼매를 쳐다볼 따름이었다.

십삼매는 다시 웃으며 물었다.

"오빠가 온 게 반갑지 않아?"

소홍은 한동안 아무 말도 못하다가 이윽고 "휴우." 하면서 길게 숨을 토해 냈다. 그녀는 기력이 다 빠졌다는 듯이 어깨를 축 늘어뜨리며 힘겹게 입을 열었다.

"죽은 줄 알았거든요, 오래전에."

그녀는 먹먹한 눈빛으로 십삼매를 바라보며 말했다.

"그래서 아예 머릿속에서 지우고 살아왔어요, 여태. 그런데 오빠가 살아 있다는 사실도 지금 처음 듣는데, 이곳 성도부에 와 있다니요? 놀라서 말이 나오지 않아요."

"그럴 거야."

십삼매는 마치 딸을 대하듯 부드럽게 말하며 그녀를 껴안았다. 이미 십삼매만큼 커 버린, 외려 가슴은 훨씬 더 큰 소홍이 얌전하게 그녀의 품에 안기며 물었다.

"왜 그동안 아무런 말씀도 하지 않으셨어요?"

십삼매는 가볍게 한숨을 쉬며 대답했다.

"약속 때문에."

"약속이요?"

"그래. 당시 허 노야가 내건 조건이었거든. 네게 쌍둥이 오빠의 존재에 대해서 함구하라는 게."

십삼매는 소홍의 머리카락을 쓰다듬으며 말했다.

"그렇지 않으면 언제든 너를 해치겠다고 했지. 당시 나는 어렸고 힘이 없었으니까. 황계의 총계주가 되기 위해서는 허 노야의 후원이 반드시 필요했었으니까. 그래서 네게 아무런 말을 하지 못했던 거야. 미안하구나."

물론 그게 전부가 아니었다.

당시 허 노야는 처음부터 아예 그녀를 죽이려고 했다. 쌍둥이, 그것도 여동생이 있다는 것이 그녀의 오빠에게 후환이 될 거라는 게 그의 주장이었다.

만약 십삼매가 자신이 키우겠다며 나서지 않았더라면 소홍은 이미 그때 목숨을 잃었을 것이다.

"미안해하지 마세요."

소홍은 마치 그런 오래전 사실을 이미 알고 있다는 듯한 눈빛으로 십삼매를 올려다보면서 말했다.

"제가 이만큼 자랄 수 있었던 건 모두 어머니, 아니 언니 덕분이니까요."

"그렇게 생각해 준다면 정말 고맙네."

십삼매가 콧잔등을 찡그리며 웃었다. 소홍도 따라 웃었다. 확실히 그녀들은 자매 같았고 모녀 같아 보았다.

소홍은 잠시 생각하다가 입을 열었다.

"모르겠어요."

십삼매는 잠자코 그녀의 다음 말을 기다렸다. 소홍은 여전히 갈피를 잡지 못하겠다는 듯 망설이는 기색을 보이다가 길게 한숨을 쉬며 말을 이었다.

"아주아주 오래전에 기억에서 사라진 오빠가 살아 있다는 것도 믿기 힘들고, 그 오빠가 날 보고 싶어 한다는 건 더더욱 믿을 수가 없어요. 두렵고 겁이 나요."

"만나지 않아도 상관없단다."

십삼매는 여전히 부드러운 목소리로 다정하게 말했다.

"모든 건 네 결정에, 의사에 따를 테니까. 네가 싫으면 하지 않을 거고, 좋으면 할 거야. 사실 나도 이제 와서 그런 이야기를 꺼내는 허 노야가 마음에 들지는 않거든."

"그럼 조금 더 이대로 있어도 될까요?"

"얼마든지. 너는 나와 달라서 아무것도 하지 않을 권리가 있거든."

"으음, 아무것도 하지 않고 마냥 뒹굴뒹굴하는 건 싫은데요. 무엇보다 이제 사랑도 해 보고 싶어요."

"아휴, 요 조그마한 게 무슨 사랑을 한다고……."

십삼매는 이미 자신만큼 커 버린 소홍의 볼을 살짝 꼬집으며 웃다가, 이내 진지한 미소를 지으며 소곤거렸다. 미처 소홍마저 듣지 못할 정도의 조그만 목소리였다.

"그래. 나처럼 바보 같은 사랑이 아니라, 세상에서 가장 아름다운 사랑을 하렴."

5장.

화공(火攻)

"전쟁이 발발할 걸세."
유 노대가 입을 열었다.
"만에 하나 정 가주가 죽는다면,
저 정사대전과 버금가는 전쟁이 다시 시작될 걸세."

1. 아비규환(阿鼻叫喚)

사위는 조용했다.

한 식경가량 전에 터졌던 굉음 이후로 일대는 마치 쥐 죽은 듯 조용했다.

사방이 어두운 가운데, 천수호동의 조그만 집들에서는 닫힌 창틀 사이로 하나둘씩 불빛이 새어 나오기 시작했다.

마치 조금 전의 굉음은 늘 있던 일들 중 하나라는 것처럼 천수호동 사람들은 전혀 신경을 쓰지 않는 듯했다.

왕종화(王鐘華)는 이 비좁은 골목길에서 그리 흔하지 않은 이 층 건물 지붕에 올라 잠자코 추이를 지켜보다가 문득 입술을 깨물었다.

불길한 기분이 목덜미를 서늘하게 스치고 지나갔다.

그건 왕종화만 느낀 게 아닌 모양이었다.

"너무 조용한데요?"

곁에서 함께 추이를 살피던 다른 부관 하나가 조심스레 입을 열었다.

"지금 이 시간이라면 뭔가 결과가 나올 시점인데……."

유령교의 안가를 향해 나 이제 들어간다, 하고 신호를 보내는 듯한 굉음이 터진 것도 벌써 한 식경 전의 일이었다. 그 한 식경이면 유령교 놈들을 제압하고 안가를 장악해도 벌써 여러 번 장악했어야 할 시간이었다.

하지만 금강천존 쪽에서는 가타부타 아무런 연락이 오지 않았다. 뒤늦게 보낸 열 명의 수하들 역시 그 어떤 보고도 하지 않고 있었다.

입술을 깨문 채 잠시 생각하던 왕종화가 마침내 결심을 내린 듯 입을 열었다.

"포위망을 좁히자."

지붕 위에 모여 있던 부관들이 깜짝 놀라며 그를 돌아보았다.

지금 철목가 삼백의 정예 무사들은 천수호동 골목길의 출입구를 비롯한 외곽 지역을 철통같이 에워싸고 있었다. 그런데 지금 그 제대로 구축된 포위망을 다시 좁히자는 건 도박과 같은 행동이었다.

하지만 이미 결심을 한 왕종화는 계속해서 말을 이어 나갔다.

“좁히면서 인원이 겹쳐지면 금강군이 앞으로, 예비 병군이 뒤로 물러나 이중, 삼중의 결계를 치면 된다. 목표는 유령교의 안가를 중심으로 한 골목길 오십여 장 주변. 시간은 일각 안! 개미 한 마리도 빠져나가지 못하도록 완벽하게 포위망을 만들라.”

왕종화는 금강천존의 최선임 부관이었다. 금강군의 이인자라고 할 수 있었다. 금강천존이 없는 지금 상황에서 그의 지시는 곧 금강천존의 지시라고도 할 수 있었다.

“알겠습니다!”

“일각 안에 포위망을 완성하겠습니다!”

부관들이 서둘러 지붕을 박차고 골목 외곽으로 몸을 날렸다. 그들이 사방으로 흩어지며 경공술을 펼치는 모습은 곧 다섯 마리의 야조(夜鳥)가 밤하늘을 가르고 날아가는 듯한 광경이었다.

“아무래도 마음에 들지 않는다.”

왕종화는 다시 입술을 깨물었다.

“여태 아무런 연락이 없을 수가 없다. 이렇게까지 불안한 건 처음 있는 일이다.”

왕종화는 바짝 마른 입술을 깨물다가 지붕 아래쪽을 향해 말을 꺼냈다.

"밑에 몇이 있느냐?"

그러자 왕종화를 보필하는 수행 무사가 대답했다.

"저까지 포함하여 모두 일곱 명이 있습니다."

왕종화는 가볍게 눈살을 찌푸렸다.

일곱 명은 아무래도 부족할 것 같았다. 만에 하나 위급한 상황이 벌어질 수도 있으니 최대한 많은 병력이 필요했다.

"가장 가까운 곳에 있는 무사들 스무 명을 차출하라."

"명을 따르겠습니다."

수행 무사와 다른 무사들이 밤길의 골목을 따라 사방으로 흩어졌다. 그리고 반각도 지나지 않아 이십여 명의 무사들이 우르르 몰려왔다.

왕종화는 지붕에서 그들을 내려다보며 말했다.

"급한 상황이니 모두 나를 따라서 지붕 위를 달리도록. 목적지는 금강천존께서 들어가신 유령교의 안가다. 다들 최대한 신속하게 따라오도록!"

말을 마친 왕종화는 곧장 경공술을 펼쳐 유령교의 안가로 향했다.

예서 안가까지는 구절양장(九折羊腸)과도 같은 골목길을 따라 달리면 삼사백 장의 거리.

하지만 지붕과 지붕을 타고 직선거리로 가면 불과 오십여 장 거리였으니, 왕종화의 경공술이라면 스무 번 정도의 도약 만에 다다를 수 있었다.

그렇게 왕종화가 이십여 명의 무사들과 함께 지붕에서 지붕을 타며 십여 차례의 도약을 했을 때였다.

번쩍!

순간 섬광이 시야를 스치고 지나갔다.

콰앙!

뒤이어 지축이 흔들리는 듯한 굉음이 이어졌다.

그 바람에 왕종화는 하마터면 지붕을 잘못 밟고 미끄러질 뻔했지만 재빨리 균형을 잡고는 섬광이 번뜩인 곳, 굉음이 터져 나온 곳으로 시선을 돌렸다.

"이런……."

왕종화는 저도 모르게 중얼거렸다.

천수호동의 북쪽 외곽 지역. 그곳에서 성대할 정도로 거대한 불길이 밤하늘 높이 치솟는 중이었다.

집 한 채를 송두리째 태운 불길은 밤바람을 타고 순식간에 천수호동으로 번지기 시작했다.

천수호동은 빈민가였다. 절반 이상의 집들이 썩어 가는 목재와 짚으로 만들어져 있었다.

목재와 짚은 불길의 좋은 먹이였고, 불길은 그 먹이들을 단숨에 삼키며 사방으로 번졌다. 때마침 불어오는 북풍(北風)은 불길에 날개를 달아 주었다.

첫 번째 집이 화마(火魔)에 휩싸인 지 불과 반 식경도 되지 않아 북쪽 일대의 천수호동 골목이 미친 듯 타오르는 불길에 뒤덮였다.

"불이야!"

"사람 살려!"

천수호동의 골목은 온통 황급히 뛰쳐나온 사람들로 북새통이었다.

불과 한 평 공간에 네다섯 명이 사는 동네였다. 골목은 금세 사람들로 가득 찼고, 이내 아비규환(阿鼻叫喚)으로 변했다.

늦은 저녁 식사를 하다가 뛰어나왔는지 젓가락만 들고 있는 사람, 아이들을 등에 업고 옆구리에 끼고 머리에 인 채 막 문을 나서는 아낙네, 그 와중에 행여 훔칠 거라도 있는지 남의 집에 들어갔다가 전신에 불이 붙은 채 마구 날뛰며 뛰어다니는 사람 등 온갖 인간 군상(群像)들이 그 골목길에 있었다.

당황해서 어찌할 바를 몰라 하는 건 천수호동 사람들만이 아니었다.

막 포위망을 좁히며 천수호동 중심부 쪽으로 집결하던 철목가의 무사들은 갑작스레 사방으로 번지기 시작한 불길과 골목을 빼곡하게 메운 사람들로 인해 제대로 진열을 갖출 수가 없게 되었다.

겹겹이 에워싸려던 포위망은 거미줄처럼 찢어졌고, 손

발을 맞춰 압박해 들어가던 진열은 붕괴되었다.

천수호동의 수많은 집에서 쏟아져 나온 수천 명의 사람들로 인해 삼백의 무사들은 자신의 위치와 동료들과의 간격을 잃은 채 그 해일(海溢) 같은 인파 속에서 허우적거려야만 했다.

"이런……."

왕종화는 주위를 둘러보며 상황 파악을 하려 했다. 최대한 빠르게 사태를 진정시키고 다시 포위망을 구성하려 했지만 아무런 소용이 없었다.

불길은 용암처럼 번졌으며 사람들은 그 불길을 피하려 이리저리 날뛰고 있었다.

그런 가운데 삼백의 무사들은 미처 빠져나오지 못한 사람들을 구해야 하는지, 아니면 애당초 계획대로 유령교 안가를 포위해야 하는지 전혀 갈피를 잡지 못하고 있었다.

왕종화도 어떻게 해야 할지 몰라 발만 동동 구르고 있을 때였다.

다시 새로운 섬광이 번뜩이는가 싶더니 콰앙! 하는 굉음과 함께 이번에는 유령교 안가 쪽에서 거대한 불기둥이 솟구쳐 올랐다.

그 불기둥은 새까만 밤하늘 높이 솟구쳐서 천수호동은 물론 성도부 전역에서 볼 수 있을 정도였다.

"뭐, 뭐냐? 도대체!"

왕종화는 깜짝 놀라 소리쳤다.

"천군을 찾아야 한다! 다들 목숨을 걸고 그분을 찾아라!"

왕종화는 곧바로 경신술을 발휘하여 지붕 위를 내달리기 시작했다. 그의 신형이 한 가닥 화살처럼 빠르게 쏘아지는 가운데, 십여 명의 무사들이 그 뒤를 따랐다.

안가에서 발현된 불기둥은 이내 주변 집들로 옮겨 붙었다. 역시 목재로 만들어진 집들이라 쉽게 불타올랐고, 뒤늦게 불붙은 사람들이 비명을 내지르며 집 안에서 뛰어나왔다.

왕종화는 인상을 찡그렸다. 그 불길에 휘감긴 사람들 때문이 아니었다. 안가에 가까이 가는 순간, 도저히 참을 수 없을 정도로 뜨거운 화마의 열풍이 훅, 하고 다가왔기 때문이었다.

결국 어쩔 도리가 없었다. 더 이상 가까이 다가가는 건 무리였다. 저 엄청난 불기둥에 휩싸이는 순간, 아무리 무림의 고수라고 할지언정 불에 타 죽는 건 일반 사람들과 다를 바가 없었다.

"천군!"

왕종화는 안가에서 약 십여 장 떨어진 지붕 위에서 목이 터져라 외쳤다. 어느새 달려온 그의 수하들도 발을 동동 구르며 금강천존을 불렀다.

"천존! 어디 계십니까?"

"천군! 천군!"

저마다 금강천존의 또 다른 별호들을 목이 쉬도록 외쳤지만 아무런 소용이 없었다.

화르륵!

그들의 목소리는 화마가 불타오르는 소리와 주민들의 절규 속에서 모래알처럼 흩어지고 있었다.

그때였다.

일순 왕종화의 귀가 움찔거렸다. 갑자기 병장기 부딪치는 소리가 그 아수라장 속에서 희미하게 들려왔던 것이다.

왕종화는 그 소리가 들려온 쪽으로 재빨리 고개를 돌렸다. 맨 처음 화마가 시작되었던 북쪽 거리, 사방으로 번지는 그 화마 속에서 병장기가 부딪치고 고함이 울려 퍼지고 비명이 난무하고 있었다.

"무, 무슨 일이 일어나고 있는 게지?"

왕종화는 느닷없는 상황에 말까지 더듬거렸다.

순간, 뒤늦게 호각 소리가 길게 이어졌다. 두 번은 짧고 빠르게, 두 번은 길게.

호각 소리를 들은 왕종화는 물론 그의 수하들까지 안색이 급변했다. 그 북쪽 거리에서 들려온 호각음은 철목가 무사들이 지금 기습을 당하고 있다는 긴급 신호였다.

"기습이라니? 누가?"

왕종화가 당황하여 물었지만 누구 하나 대답하는 이가 없었다. 수하들은 다들 당황하고 초조한 안색으로 왕종화의 얼굴만 힐끔거리고 있었다.

왕종화는 호각이 들려온 방향과 아직도 불기둥이 건재한 안가를 번갈아 바라보며 중얼거렸다.

"어, 어떻게 해야 하지?"

그날 밤.

천수호동을 시작으로 성도부 전역이 불타올랐다.

2. 마음에 들지 않는 이유

콰앙!

멀리서 묵직한 굉음이 들려왔다.

하지만 정극신은 아랑곳하지 않고 계속해서 여인들의 벌거벗은 몸을 희롱했다. 여인들의 달뜬 숨소리가 객청을 뜨겁게 달궜다.

한창 흥이 오를 때였다. 객청 밖에서 조심스런 목소리가 들려왔다.

"계십니까, 가주?"

총관 항조군의 목소리였다. 정극신의 눈썹이 움찔거렸

다. 그는 귀찮다는 투로 물었다.

"뭐냐?"

"천수호동 쪽에서 불길이 일어나 사방으로 번지고 있다고 합니다."

"천수호동?"

"네. 금강천존께서 삼백의 수하를 이끌고 유령교 안가로 쳐들어간 바로 그 호동입니다."

"으음."

아무래도 조금 전에 들려왔던 그 굉음과 관련이 있는 모양이었다.

정극신은 그제야 여인들에게서 몸을 뗐다. 벌거벗은 여인들은 가쁜 숨을 몰아쉬며 아무렇게나 쓰러졌다.

정극신은 천천히 옷을 입으며 물었다.

"천군의 소식은?"

"아직 들어온 소식이 없습니다."

"삼십육살은?"

"약 일각 전에 천수호동으로 출발했습니다. 그곳에 당도하려면 반각 정도 더 걸릴 것 같습니다."

"그럼 그 빈민촌에 불이 났다는 것 말고는 아는 게 전혀 없는 게로구나."

"죄, 죄송합니다."

"최대한 빨리, 모든 전력을 동원해서 알아낼 수 있는

모든 걸 알아내라. 특히 천군의 행적과 유령교 잔당들의 소식을 말이다."

"존명."

문밖으로 황급히 자리를 뜨는 항조군의 기척이 전해졌다. 정극신은 자신의 발 아래에서 벌거벗은 채 요염하게 꿈틀거리는 여인들을 내려다보았다. 풍만한 젖무덤과 탱탱한 엉덩이가 시야에 들어왔지만 더는 흥미가 일지 않았다.

"다들 방에 들어가 있거라."

정극신이 말하자마자 여인들은 최대한 빠르게 자리에서 일어나 복도 저편으로 사라졌다. 그녀들은 조금이라도 늦장을 부렸다가는 목숨까지 잃을 수 있다는 걸 이미 잘 알고 있는 듯했다.

쓰읍.

정극신은 코로 크게 숨을 들이마셨다.

계집들이 흘린 땀과 애액(愛液) 냄새가 진동했다. 정극신은 개의치 않고 더 깊게 코로 숨을 들이마셨다.

멀리서 미약하게나마 불에 탄 냄새가 났다. 예서 천수호동까지는 약 십여 리 정도 떨어진 거리, 그런데 불탄 냄새가 여기까지 나는 걸 보면 생각보다 훨씬 큰 화재가 난 모양이었다.

"음?"

정극신의 눈썹이 다시 꿈틀거렸다.

그 불에 탄 냄새가 생각보다 짙고 명료하게 느껴진 것이다.

이건 도저히 십여 리 밖에서부터 흘러 들어온 냄새가 아니었다. 최소한 백여 장 내 인근 주변 어딘가에서 시작된 냄새인 게 분명했다.

"음…… 천들을 태우고 있나?"

정극신은 그렇게 중얼거렸다.

일반적으로 부상자들이 사용했으나 도저히 더는 사용할 수 없게 된 천들은 마당에 한데 모아 불쏘시개처럼 태운다. 아마도 그 냄새가 흘러든 것일 게다.

정극신은 별일 아니라고 생각한 후 천천히 자리에서 일어났다. 밤도 깊었으니 이제 잠자리에 들 작정이었다. 게다가 미리 방으로 쫓아 보냈던 계집들의 속살도 다시 맛보고 싶어졌다.

그렇게 정극신이 "끄응." 하며 자리에서 일어선 순간이었다.

쾅! 콰앙! 콰앙!

연달아 거친 폭음이 터졌다.

제법 떨어진 곳에서 들려온 폭음이었지만 항조군이 머무는 객정 전체가 뒤흔들렸다.

흙먼지가 우르르 떨어졌다. 복도 안쪽에서 여인들이 비

명을 내질렀다. 마치 커다란 지진이라도 일어난 것 같았다.

하지만 지진은 아니었다. 흙먼지 사이로 매캐한 냄새가 전해졌다.

정극신의 새하얀 눈썹이 부르르 떨렸다.

"화약?"

화약 냄새였다. 원단 아침에 거리를 가득 메운 폭죽 연기와 그 지독한 냄새처럼, 폭음이 들려온 곳에서부터 이곳까지 화약 냄새가 생생하게 전해져 왔다.

그리고 아수라장과 같은 소란은 그 화약 냄새와 더불어 퍼졌다.

"불이야!"

"불이다! 다들 대피하라!"

폭음이 터진 곳에서부터 요란한 고함 소리가 들리는가 싶더니 이내 정극신의 별채 주변까지 사람들이 고함을 지르며 바쁘게 뛰어다녔다.

정극신은 천천히 객청 입구로 걸어가 문을 열었다. 일순 정극신은 시야 가득 쏟아지는 거대한 화광(火光)에 그만 저도 모르게 눈살을 찌푸렸다.

담장 세 구역 정도 밖에서 거대한 불길이 별채들을 뒤덮고 있었다. 그 밑으로 이리 뛰고 저리 뛰어다니는 철목가 무사들의 모습이 보였다.

"불을 꺼라!"

"부상자들부터 먼저 대피시켜라!"

잠들어 있던 객잔 사람들이 나와서 허둥거리는 사이, 철목가 무사들은 나름대로 체계를 갖추고 화마에 대응하기 시작했다.

그러나 화재는 그게 전부가 아니었다.

쾅! 콰앙!

또 다른 폭발음이 터지면서 이번에는 북쪽 별채가 송두리째 타오르기 시작했다. 마치 정극신이 머무는 별채를 포위하듯 불길은 사방에서 밀려들고 있었다.

사람들이 비명을 지르며 불길을 피해 도망쳤다. 매캐한 연기와 뜨거운 공기, 그리고 모든 걸 집어삼킬 듯 붉은 혀를 날름거리는 불꽃들.

'그렇군.'

정극신은 물끄러미 그 광경을 지켜보다가 고개를 끄덕였다.

천이 불에 타는 냄새, 굉음, 화약 냄새.

그리고 거대한 불길.

정극신은 지금 이곳에서 무슨 일이 벌어지고 있는지 직감적으로 알아차렸다.

조금 전 그가 맡았던 천이 불에 타는 냄새는 아마도 폭발물의 심지였을 게다. 놈들은 사오 척 가량 길게 심지를 뽑아서 미리 건물 곳곳에 폭발물을 설치한 후 불을 붙였으리라.

굉음과 함께 건물이 폭파되고 불길이 솟구치면 당연히 사람들은 혼돈에 빠질 것이고…… 그 혼란과 혼돈 속에서 놈들은 목표물을 향해 접근할 게 분명했다.

'드디어 나를 찾아온 건가?'

정극신의 입가에 희미한 미소가 스며들었다.

안 그래도 지루하기만 하던 일상이었다. 쉬지 않고 계집질을 하고 사천의 유명한 음식과 술을 먹고 마셨지만, 그것으로 정극신의 지루함은 달랠 수가 없었다. 괜히 화를 내고 피를 보는 것도 그 지루함 때문이었다.

이제 그 지루함을 달래 줄 자들이 찾아온 것이다.

'무림오적이라는 무리들일까? 아니면 유령교의 잔당들일까?'

사실 나름대로 기습이라고 화약을 이용한 폭발물을 던지고 불을 냈지만, 굳이 그럴 필요까지 없었다는 게 정극신의 생각이었다.

"나와 싸우겠다고 찾아왔다면 얼마든지 일대일로 싸워줬을 텐데."

정극신은 문틀에 기대어 팔짱을 낀 채 느긋한 표정으로 활활 타오르는 불길을 감상하며 중얼거렸다.

"뭐 정면 승부가 아닌 기습을 택한 건 그만큼 자신이 없다는 뜻이겠지."

그때였다. 월동문 저편에서 한 사내가 구르듯이 달려오며 소리쳤다.

"가주!"

항조군이었다.

정극신은 눈을 가늘게 뜨며 그가 달려오는 모습을 물끄러미 지켜보았다.

생각해 보면 괜찮은 자였다.

설벽린과 자신의 둘째 부인과 통정을 알았다는 이유로 정극신이 전임 총관을 죽인 후, 그 후임으로 대충 뽑은 자였는데 생각보다 훨씬 더 일을 잘하고 있었다.

머리도 잘 돌아가고 눈치도 빨랐다. 사람들을 부릴 줄도 알았고 챙길 줄도 알았다.

하지만 문제는 정극신이 그런 총관을 원하고 있지 않다는 점이었다.

'내가 시키는대로 움직이는 충견(忠犬)이 필요하지, 제멋대로 날뛰는 원숭이나 꼬리 여럿 달린 여우가 필요한 건 아니니까.'

정극신이 팔짱을 낀 채 그런 생각을 하고 있을 때, 항조군이 헐레벌떡 달려와 고개를 조아렸다.

"평범한 화재가 아닙니다! 아무래도 적의 기습이 있는 것 같습니다! 얼른 옥체를 보중하시어 안전한 곳으로 피신하셔야 할 것 같습니다!"

숨이 턱까지 차올라 헉헉거리면서도 쉬지 않고 쏟아내는 항조군을 바라보며 정극신은 가볍게 눈살을 찌푸렸다.

'그래, 이런 게 싫은 게다.'

그저 정확한 사실 보고만 하면 되는 것이다. 거기에 굳이 정극신이 요구하지도 않은, 항조군 자신의 생각이나 계획, 사후 방안 등을 이야기할 필요가 없는 것이다.

왜 제멋대로 천하의 철목가 가주를 안전한 곳으로 피신시키려고 하는 것이냐는 말이다.

정극신은 메마른 목소리로 물었다.

"내가 왜 도망쳐야 하지?"

"아, 얼른…… 네?"

항조군의 눈이 휘둥그레졌다.

사방에서 폭음이 들리고 건물이 부서지고 불이 났다. 언제 어디에서 기습해올지 전혀 알 수 없는 상황이었다. 당연히 안전한 곳으로 몸을 피해야 했다.

그런데 왜 도망치느냐니, 이건 도망치는 게 아니지 않은가.

항조군은 거친 숨을 몰아쉬며 정극신을 이해할 수 없다는 눈빛으로 바라보았다. 정극신의 눈빛이 가늘어졌다.

"지금 내가 틀린 말을 한 건가?"

정극신은 냉랭한 어조로 재차 물었다.

항조군은 그 걷잡을 수 없이 파고드는 한기와 살기에

깜짝 놀라 황급히 고개를 숙이며 대답했다.

"아닙니다."

정극신은 잠시 그의 정수리를 내려다보다가 다시 고개를 들어 주위를 둘러보며 말했다.

"언뜻 보면 불길이 사방에서 피어올라 이쪽을 향해 번지는 것 같지만 전혀 그렇지 않다. 자세히 살펴보면 불을 낸 자들은 교묘하게 자신들이 이동하여 이곳까지 올 수 있는 길을 만들어 두었다. 그 길목을 지키고 있으면 외려 우리가 놈들을 먼저 알아차릴 수 있는 게야."

정극신은 문득 손을 들어 어느 한 방향을 가리키며 말을 이었다.

"그게 바로 저곳이다."

항조군은 홀린 듯이 고개를 들어 정극신이 가리키는 방향을 쳐다보았다.

담과 담이 엇갈리며 사각을 이루는 공간. 믿을 수 없게도, 그 공간 속에서 서너 개의 검은 그림자가 신기루처럼 나타났다.

검은 야행복에 검은 복면으로 얼굴을 가린 자들, 바로 이곳 객잔 곳곳에 폭발물을 설치하고 불을 질렀던 장본인들이었다.

3. 화공(火攻)입니다

"화공(火攻)입니다."

허 노야는 금강천존을 비롯한 철목가 무사들의 시신을 한구석으로 치우는 수하들을 바라보며 입을 열었다.

"포위망을 뚫는데 가장 좋은 방법이 바로 화공입니다. 반각 정도만 기다리시면 이곳 천수호동을 모두 불태우는 장대한 불길을 보실 수 있을 겁니다."

위천옥은 마땅치 않다는 표정을 지으며 말했다.

"굳이 그럴 필요가 있나? 그냥 힘으로 뚫고 나가면 되는데."

"괜히 힘을 쓰실 필요가 없으니까요. 어쨌거나 밖에는 삼백 명 가량의 철목가 정예 무사들이 있으니까요. 산중대왕(山中大王)이라 하더라도 삼백 마리의 늑대라면……."

"늑대가 아니라 삼백 마리의 양 떼에 불과하지."

"어쨌든 방금 금강천존과 싸우셨고 하니까 조금은 쉬시면서 제 아이들의 활약을 구경하시는 것도 나쁘지 않을 거라고 생각합니다."

"뭐, 그렇게까지 말한다면야……. 좋아, 허 영감 말대로 기다려 보지. 아, 원단의 폭죽처럼 성대하게 터뜨려야 해."

위천옥은 소년처럼 눈을 반짝이며 말했다. 허 노야는

고개를 숙였다.

"아주 성대하고 장엄한 불길을 보실 겁니다."

그는 자신만만하게 대답했다.

이곳으로 달려오면서 이미 루호에게 지시를 내려놓았다. 천수호동 전역을 싹 다 불태우는 한이 있더라도 포위망을 치고 있는 철목가 무사들을 모조리 죽이라는 게 그의 지엄한 명령이었다.

천수호동을 모두 불태우라는 명령에 루호는 움찔거렸지만 결국 그는 언제나처럼 아무 말 없이 고개를 숙이고 허 노야의 지시를 따랐다.

그리고 금강천존이 죽은 지 약 반각 후, 거대한 폭음과 함께 거대한 불기둥이 사방에서 솟구쳐 올랐다.

"와아!"

마치 원단의 폭죽 축제를 처음 본 꼬마 아이처럼 위천옥은 잔뜩 들뜬 얼굴로 창밖을 지켜보았다.

뜨거운 화광(火光)이 수백 장 떨어진 이곳 안가의 창을 통해 위천옥에게 고스란히 전해졌다.

자고로 싸움 구경과 불구경이 최고라고 했던가.

위천옥은 눈빛을 반짝이며 불타는 천수호동을 바라보았다.

"밖에서 보시면 더 장관일 겁니다."

"그래?"

위천옥은 허 노야의 안내를 받으며 밖으로 이동, 지붕 위로 뛰어올랐다.

북쪽 일대에서 시작된 불기둥이 점점 그 세력을 넓혀 가는 중이었다. 불길에서 빠져나오려는 호동 사람들의 비명과 함성, 고함이 저 멀리에서 들려왔다.

"마음에 드는데?"

위천옥은 팔짱을 낀 채 웃으며 말했다.

"겨우 동네 하나가 불타는 게 이리도 장관인데 말이지. 거대한 성시(城市) 전체가 불타는 건 얼마나 멋있을까? 아니, 황제가 산다는 북경부라면 더더욱 장관이겠네."

위천옥은 진심으로 북경부 전역을 불태울 것 같은 눈빛을 반짝이며 중얼거렸다.

그의 뒤에 시립해 있던 청노가 저도 모르게 몸을 부르르 떨었다. 청노는 자신이 모시는 사람이 하겠다면 진짜로 하는 인물이라는 걸 너무나도 잘 알고 있었다.

반면 허 노야는 그 불길을 노려보며 입술을 깨물었다.

'루호, 이 녀석!'

분명 천수호동 전역을 불길에 휩싸이게 만들라고 했었다. 그런데 지금 불타는 걸 보면 호동 사람들이 도망칠 수 있도록 불길을 제어하고 있는 게 분명했다.

'마음이 약한 게 이런 곳에서 드러나는구나, 루호.'

그게 허 노야의 수제자인 루호의 가장 큰 약점이었다.

허 노야에게 모든 걸 배웠음에도 불구하고 루호는 늘 인정(人情)이라는 걸 버리지 않았다.

언제고 그 인정이 자신의 발목을 잡게 될 거라고, 허 노야가 누누이 경고했지만 루호는 여전히 그리고 아직까지도 그 인정을 버리지 못하고 있었다.

'쯧쯧…… 나중에 소야께 배우도록 해야겠군. 인정을 버리게 되면 얼마나 강해질 수 있는지, 그 견본과도 같은 분이니까.'

허 노야가 그렇게 생각할 때였다. 은밀하게 그를 따르던 수하가 지붕 속에서 전음을 보내왔다.

—이곳도 준비가 끝났습니다.

허 노야는 퍼뜩 정신을 차렸다. 그리고는 위천옥을 향해 입을 열었다.

"이제 가시죠."

"음? 그래?"

위천옥이 허 노야를 돌아보는 순간, 안가 건너편 집들이 갑자기 폭발하더니 순식간에 불길에 휩싸였다. 허 노야가 수하들을 시켜 미리 준비해 둔 일련의 수순이었다.

위천옥은 흠칫 놀랐다가 이내 손뼉을 치며 환호했다. 허 노야도 웃으며 말했다.

"자, 이제 불길이 인도하는 대로 따라 나가시면 됩니다."

"좋아! 재미있어! 역시 허 영감이야! 이제 또 날 위해서 뭘 더 준비해 놓았는지 궁금해지기 시작했어. 잔뜩 기대도 되고 말이야."

위천옥은 흥분한 얼굴로 수다를 떨며 허 노야의 뒤를 따라, 불길이 이어지는 방향으로 경공술을 펼쳤다.

허름하고 좁은 집들이 빼곡하게 밀집된 천수호동이 화려하게 불타오르는 가운데, 위천옥과 허 노야를 비롯한 칠팔 명의 사람들은 그렇게 불길을 따라 천수호동을 빠져나갔다.

* * *

미친 생각이었다. 광오하고 오만한 계획이었다. 천하의 철목가주 정극신을 살해하겠다니, 그것도 지금 당장, 불과 대청에 모인 열한 명의 인원으로.

그 미친 생각을 입 밖으로 낸 강만리가 스스로 손을 번쩍 들었다. 화군악도 당연하다는 듯이 손을 들었다. 나머지 사람들은 눈썹을 찡그리고 이맛살을 모은 채 심사숙고했다.

"저도 한 표."

장예추가 손을 들었다. 그 뒤를 따라 담우천이 손을 들었고, 놀랍게도 정유가 따라서 손을 들었다. 제 아버지를 살해하자는 계획임에도 불구하고 정유는 표정 하나 바꾸지 않고 당당하게 손을 들었다.

그 속사정을 아는 사람들은 꽤 놀란 눈으로 정유를 바라보았다. 아무리 첩의 자식이고 버린 자식이라고는 하지만, 그래도 어찌 되었건 정극신은 정유의 부친이 아니던가.

묘한 침묵이 대청 공간을 떠돌고 있었다.

"나도 한 표."

헌원노대가 손을 들며 말했다.

"방어하는 것만으로는 전쟁에서 이길 수 없으니까. 공격해야 할 때는 과감하고 신속하게 해야지."

그의 말에 공감한다는 듯이 설벽린이 손을 들었다. 이제 남은 사람은 모두 넷, 만해거사와 유 노대, 아란과 고굉이었다. 물론 양위도 그 자리에 함께하고 있었지만 아무래도 이번 투표에는 참석할 수가 없었다.

"전쟁이 발발할 걸세."

유 노대가 입을 열었다.

"만에 하나 정 가주가 죽는다면, 저 정사대전과 버금가는 전쟁이 다시 시작될 걸세. 수천, 수만, 수십만의 목숨이 연기처럼 사라지는 전쟁 말일세. 그걸 각오하고 있는 겐가?"

"이미 전쟁은 시작되었는데요."

강만리는 머리를 긁적이며 대답했다.

"무적가주를 살해했을 때부터, 아니 우리 다섯 명이 무림오적이라는 틀 안에서 성장했을 때부터 어느 한쪽이 항복해야만 끝나는, 그런 전쟁이 시작된 겁니다."

"흠."

유 노대가 턱수염을 매만지며 뒤로 몸을 젖힐 때, 만해 거사가 웃는 낯으로 말했다.

"뭐 고민할 게 어디 있나? 애당초 그들과 전쟁을 벌인다는 걸 알고 범정산에서 내려왔는데. 자, 나도 한 표."

"어쩔 수 없군그래."

유 노대도 별수가 없다는 듯이 손을 들었다. 그러면서도 사람들에게 당부하듯 혹은 자신에게 다짐하듯 말을 이어 나갔다.

"하지만 다들 이것만은 알아 두게. 전쟁이라는 거, 그대들이 생각한 것보다 훨씬 더 잔악하고 악랄한 싸움이라는 걸 말일세."

"명심하겠습니다."

강만리는 사람들을 둘러보며 말했다.

"지금 이 자리에는 정사대전의 참화(慘禍)를 경험한 이가 모두 세 분 계십니다. 어떻게 해야 싸움에서 이기고 전투에서 살아남을 수 있는지, 그리고 전쟁을 승리로 이끌 수 있는지에 대해서 앞으로 많은 하교 바랍니다."

"나만 믿게."

만해거사가 껄껄 웃으며 말했다.

"다른 건 몰라도 전쟁이 끝날 때까지 살아남는 방법 하나만큼은 확실하게 알고 있으니까."

그의 너스레에 유 노대가 피식 웃으면서 고개를 설레설레 흔들었다. 정사대전을 겪었던 또 다른 한 명, 담우천은 묵묵히 차를 마셨다.

'미친놈들이라니까.'

고굉은 내심 혀를 내둘렀다.

'아니, 도대체 무슨 생각을 하고 있는 거야? 진짜로 오대가문과 맞서 싸울 작정이야? 진심으로 무림 백도정파를 상대로 전쟁을 벌일 작정이냐고!'

사실 야심이라면 고굉도 그리 적지 않은 야심가였다. 언제고 성도부 전역을 호령하는 흑도방파의 주인이 되는 게 그의 원대한 야망이었으니까.

하지만 이렇게 대륙 전역을 상대로 싸워 이겨서 천하를 호령하는 것까지는 차마 바라지도, 생각하지도 않았다.

나름대로 야심 가득한 고굉이었지만 그래도 자신이 솔잎을 먹는 송충이라는 건 잊지 않았다. 괜히 뱁새가 황새노릇 하다가 가랑이가 찢어지는 법이었다.

'지금이라도 늦지 않았다, 고굉. 발을 뺄 수 있을 때 빼는 게 신상에 이로울 거야. 자칫 분위기에 휩싸였다가는

비명도 지르지 못하고 죽게 될 테니까.'

고굉이 그런 생각을 하고 있을 때였다.

"저도 한 표요. 제게도 한 표의 가치가 있다면 말이죠."

아란이 손을 들며 말했다. 강만리가 어깨를 으쓱거렸다.

"당연히 한 표의 가치가 있지. 어찌 되었건 한 형제자매니까 말이지."

"고마워요, 그렇게 생각해 줘서."

아란은 활짝 웃으며 옆자리의 고굉에게로 시선을 돌렸다. 그녀뿐만 아니라 식탁에 모인 다른 모든 사람들 역시 고굉을 바라보았다.

아닌 게 아니라 이제 남은 사람은 오직 한 명, 고굉뿐이었다.

'쳇!'

고굉은 속으로 혀를 찼다.

'어쨌거나 한 형제자매라고까지 말해 주었는데 거기에다 대고 못하겠어요, 할 수는 없는 노릇이 아니더냐? 젠장할!'

그런 속마음과는 달리 고굉은 결연한 표정을 지으며 손을 들었다.

"도원결의까지는 아니더라도 여러 형님, 아우님들과 더불어 목숨을 바칠 각오가 되어 있습니다!"

강만리가 인상을 찌푸리며 말했다.

“목숨까지는 바치지 않아도 된다. 어떻게든 다들 살아남는 게 최우선이니까.”

“물론입니다! 형님의 명령이시라면, 누구보다도 살아남는 것에 치중하겠습니다.”

고굉은 힘차게 말을 받았다.

강만리가 쓴웃음을 흘릴 때, 문득 유 노대가 화제를 돌려 궁금하다는 듯이 물었다.

“그런데 정극신을 살해…… 상대하는 데 있어서 특별한 작전이나 계획이라도 있는 겐가?

강만리는 이미 생각해 둔 바가 있다는 듯이 대답했다.

“화공입니다.”

6장.

기연(奇緣)의 연속

북경부 연쇄살인사건은 일반 살인사건과 그 궤(軌)가 달랐다.
삼황자의 주도하에 수십 수백 명의 신하와 관원,
거기에 동창(東廠)과 무집사(武集社)까지 연루되고
심지어 강호의 비밀 조직인 경천회까지 포함된 역모(逆謀)가
바로 그 연쇄살인사건의 본질이었다.

1. 태양빙옥수(太陽氷玉水)

"화공?"

유 노대의 눈이 휘둥그레졌다. 아란이나 고광, 양위들도 놀란 표정을 지으며 강만리를 쳐다보았다.

하지만 담우천이나 화군악 등 다른 네 형제들의 경우에는 마치 자신들도 그렇게 생각했다는 듯한 얼굴로, 천천히 고개를 끄덕였다.

강만리는 계속해서 말을 이어 나갔다.

"자고로 사람들의 허를 찌르는 방법 중에서 으뜸인 게 바로 화공입니다. 야심한 시각, 대부분의 사람들이 잠자리에 들었을 때 느닷없이 터지는 폭발음과 거대한 불기둥. 그것만으로 사람들은 허둥대고 당황하며 어찌할 바를 모르게 되죠."

"흠."

유 노대를 비롯한 사람들이 고개를 끄덕였다.

한밤중의 느닷없는 화재라면 확실히 사람들을 공황(恐惶)에 빠뜨릴 수 있었다.

도망치는 사람, 불을 끄려는 사람, 마구잡이로 비명과 고함을 지르는 사람, 그런 북적거리는 사람들 속에서 경계는 허물어지고 일그러지며 빈틈이 생긴다.

"아무리 단단하고 튼튼한 경계라 하더라도 그런 갑작스러운 상황에 부딪친다면 반드시 틈이 생깁니다. 우리가 그 틈을 비집고 안으로 파고들어 곧장 정극신의 거처까지 달려간다면…… 승산은 충분합니다."

강만리의 말에 설벽린이 고개를 갸웃거리며 물었다.

"우리가요?"

강만리는 당연하다는 듯이 대꾸했다.

"그래. '우리가'다. 아, 너는 빠지는 게 낫겠군."

"아니, 제 말은 그게 아니라…… 굳이 그럴 필요가 있을까요? 우리 모두가 갈 필요가 말이죠."

"너는 빠진다니까."

"아니, 그 말이 아니라니까요."

설벽린은 가볍게 눈살을 찌푸리며 답답하다는 듯 말했다.

"그러니까 암습이라면 담 형님 혼자서도 충분하지 않냐 이겁니다, 제 말은."

설벽린은 담우천을 바라보며 계속해서 말을 이어 나갔다.

"무림오적이니 뭐니 하지만 실질적으로 우리 중에서 가장 강한 사람은 담 형님 아닙니까? 게다가 담 형님은 애당초 암습과 기습에 최적화된 조직인 사선행자의 수좌가 아니셨습니까? 그러니 화공을 통해서 저들을 혼란시킨 후 우리가 모습을 드러내면 당연히 놈들은 우리를 쫓아올 겁니다. 그러는 동안 담 형님이 정극신의 거처로 몰래 숨어 들어가 암살하는 게 제일 나은 방법이라고 생각하거든요."

설벽린의 계획은 나름대로 그럴듯해서 뭇 사람들의 동의를 얻기에 충분했다. 아닌 게 아니라 고굉을 비롯한 몇몇 사람들은 고개를 끄덕이며 찬성하는 표정을 짓기도 했다.

그러나 강만리는 여전히 무뚝뚝한 표정이었다.

"글쎄. 내 생각은 조금 달라."

강만리가 말했다.

"만약 일대일의 승부라면 확실히 담 형님만으로 충분할 거야. 나는 결코 담 형님이 정극신에게 패할 거라고는 생각하지 않으니까."

지금 강만리의 말은 사실 다른 무림인들이 들었다면 기겁을 하거나 미쳤다고 조소를 날릴 내용이었다.

하지만 강만리는 당연하다는 듯이 이야기했고, 또 듣는 사람들 역시 별다른 의구심을 표시하지 않고 묵묵히 귀를 기울였다.

"하지만 정극신 주변에는 아직도 적지 않은 고수들이 남아 있다. 호법가신들은 물론 이른바 철목친위(鐵木親衛)라 불리는 특급 호위무사들도 있을 테고."

강만리의 말은 계속해서 이어졌다.

"그런 상황이라면 아무리 담 형님의 무공이 뛰어나더라도 정극신을 죽이는 건 전혀 쉽지 않을 거야. 그러니까 우리는 담 형님이 정극신만 상대할 수 있도록 그 주변 인물들을 맡아야 하는 게지."

강만리의 이야기 역시 나름대로 충분한 논거와 논리가 있어서 설벽린은 반론할 수가 없었다. 또 어찌 보면 설벽린이 제안하는 계획이나 강만리의 이야기 모두 서로 비슷한 맥락을 담고 있었다.

담우천이 보다 쉽고 편하게 정극신을 해칠 수 있도록 우리가 그 주변 정리를 한다는 게 두 사람의 공통된 이야기였으니까.

그때였다.

"그런데 다들 착각하는 게 있는데."

지금까지 묵묵히 대화를 듣고 있던 담우천이 불쑥 입을 열었다. 사람들의 이목이 그에게로 쏠렸다. 담우천은 들고 있던 찻잔을 내려놓으며 말을 이어 나갔다.

"왜 내가 지금 이 자리에서 가장 강한 사람이라고 생각하는지 모르겠네."

"네에?"

"에에? 그건 또 무슨 말씀이세요?"

"에이, 그건 당연한 거잖아요. 물론 형님과 일대일로 싸워 본 적은 없지만."

사람들이 눈을 휘둥그레 뜨며 저마다 한마디씩 했다. 반면 만해거사는 팔짱을 끼며 고개를 끄덕였다.

"그렇지. 확실히 내가 이 자리에 있는데 그렇게 단언하는 건 너무 성급한 판단인 게지."

설벽린이 한숨을 쉬며 물었다.

"그럼 만해 사부는 혼자서 무적가 가주를 이길 수 있습니까?"

만해거사는 턱을 치켜들면서 짐짓 오만한 표정을 지으며 대답했다.

"그야 모르지."

"정극신은요?"

"역시 해봐야 알겠지."

"담 형님은 해보지 않아도 알 수 있거든요."

"그건 또……."

만해거사와 설벽린이 그렇게 말싸움을 벌일 때였다. 담

우천이 다시 입을 열었다.

"강 아우는 어떻게 생각하시나?"

일순 만해거사와 설벽린의 말다툼이 멈춰졌다. 그들은 물론, 대청의 모든 이들의 시선이 담우천에게서 강만리에게로 바뀌었다.

강만리는 갑작스런 질문에 당황한 듯 말을 더듬거리며 되물었다.

"네? 뭐가 말입니까?"

"지금 이 자리에서 나보다 강한 자가 있다는 말에 대해서."

"그, 그야……."

강만리는 살짝 난감한 표정을 지으며 만해거사와 유 노대를 바라보았다. 유 노대는 아무 말 없이 빙그레 웃고 있었고, 만해거사는 팔짱을 끼며 가슴을 내밀었다.

"잘 모르겠는데요."

강만리는 머쓱한 얼굴로 그렇게 말했다.

담우천은 잠시 강만리를 물끄러미 바라보다가 가볍게 한숨을 쉬더니 주위를 둘러보며 입을 열었다.

"다들 이상하다고 생각하지 않나?"

화군악과 장예추가 고개를 갸웃거리며 말했다.

"뭐가요?"

"뭐가 말입니까?"

담우천이 침착하게 말했다.

"강 아우의 내공 말일세. 제대로 무공을 배운 지 불과 사오 년도 채 안 된 그가 우리 중에 가장 높은 내공을 지니고 있다는 게 말이지. 어쩌면 만해 사부보다도 더 높을지도 모르지."

"에이. 말도 안 되는 소리를."

담우천의 이야기에 누구보다도 먼저 만해거사가 반응했다. 그는 어림도 없다는 듯이 말했다.

"물론 강 장주의 내공이 상당하다는 건 나도 이미 짐작하고 있다네. 하지만 나와 비교하면 안 되지. 모르기는 몰라도 아마 내공에 관한 한 내가 천하제일인일 걸세."

"아마도 그럴 겁니다."

담우천은 부인하지 않았다. 그는 여전히 침착한 얼굴로 말을 이어나갔다.

"하지만 강 아우의 내공도 만해 사부 못지않습니다. 아니, 진정한 내공만이라면 이미 만해 사부를 뛰어넘었을지도 모릅니다."

"허, 참. 그게 아니라니까."

만해거사가 답답하다는 투로 말했다.

"내가 서장에서 배운 심공(心功)이 무엇인지 자네가 몰라서 하는 말이야, 그건. 내가 익힌 심공은 일반 심법보다 두 배 이상 내공을 쌓게 해 주는 효능이 있다네. 그러니까 대충 내가 일 갑자 동안 수련을 했다고 치면 이미

이 갑자 이상의 내공을 갖고 있게 되는 걸세."

"강 아우도 그 정도의 내공은 됩니다."

"응? 진짜?"

"따지고 보면 강 아우의 내력(來歷)도 매우 특이합니다. 먼저 강 아우가 심법을 익히게 된 것부터 평범하지가 않으니까요."

담우천은 게서 말을 멈추고 강만리를 돌아보았다. 강만리의 내력에 대해서 더 이야기해도 괜찮겠냐는 눈빛이었다.

강만리는 머쓱한 표정을 지으면서 미미하게 고개를 끄덕였다. 어차피 한 식구이니만큼 굳이 숨길 이유가 없다는 게 그의 생각이었다.

강만리로부터 무언(無言)의 허락을 받은 담우천은 다시 계속해서 이야기를 이어 나갔다.

강만리가 포쾌 시절 감옥에 갇혀 있는 노인으로부터 건강에 도움이 된다는 심법을 배워 익힌 것과 수년 전 심삽매로부터 태양빙옥수(太陽氷玉水)로 짐작되는 약물을 얻어 복용한 사실을 이야기했다.

"태양빙옥수?"

만해거사가 깜짝 놀라며 자리를 박차고 벌떡 일어섰다.

반면 다른 사람들은 그게 뭐냐는 식의 표정을 지으며 어리둥절했지만, 만해거사는 마른침까지 꿀꺽 삼키며 닦달하듯 계속해서 강만리에게 물었다.

"진짜 태양빙옥수를 복용하셨나? 정말인가?"

강만리는 머쓱한 표정을 지으며 고개를 끄덕였다.

"제게 그걸 먹인 십삼매의 말을 빌자면 확실히 태양빙옥수라더군요."

"오오! 태양빙옥수가 실존했었다니! 안타깝구나! 직접 내 눈으로 확인했어야 하는데. 아니, 잠깐만. 그럼 혹시 그 십삼매라는 여인이 아직 태양빙옥수를 가지고 있을 수도……."

"그건 아닙니다. 태양빙옥수는 딱 한 병 있었으니까요."

"아아……."

만해거사는 천하를 잃은 듯한 표정을 지으며 어깨를 축 늘어뜨렸다.

"아니, 잠깐만요. 우리도 대화에 합류하자고요. 태양빙옥수가 뭐죠, 대체?"

설벽린이 더 이상 참지 못하고 끼어들었다. 화군악도 두 눈을 동그랗게 뜨며 말했다.

"태양빙옥수라니, 저도 처음 들어 보는 이야기네요. 어떻게 담 형님만 알고 계시는 거죠?"

"별일 아니다."

강만리가 쓰게 웃으며 말했다.

"내 내공이 너무 높다고 생각했는지 꼬치꼬치 물어오셨거든. 그래서 대답했을 뿐이다."

"아니, 그건 됐고요. 태양빙옥수가 뭔데요? 설마 대환단처럼 내공을 크게 높여 주는 영약인가요?"

설벽린이 재차 물었다. 축 늘어져 있던 만해거사가 한숨을 쉬며 말했다.

"저 전설의 약왕문(藥王門)이 제조했다는 영약이라네."

"네에?"

"약왕문이요?"

일순, 설벽린을 비롯한 모든 이들의 눈이 왕방울만큼 커졌다.

2. 황궁무고(皇宮武庫)

지금은 전설 속에서나 전해져 내려오는 약왕문은 과거 모든 의가(醫家), 의생(醫生)의 종주(宗主)와 같은 곳이었다. 저 화타나 편작처럼 역사적으로 유명한 의생들 역시 약왕문의 제자로 알려져 있었다.

태양빙옥수는 약왕문에서 제조한 수백 가지 영약, 영단 중 하나이자, 약왕문이 자랑하는 약왕칠보(藥王七寶) 중 하나였다.

전설에 따르자면 모든 병을 치료하고 새살을 돋게 하며 멈춘 심장을 뛰게 만드는 만병통치의 영약이자, 무림인이 복용하면 소림사의 대환단보다 열 배 이상 뛰어난 효능을 얻을 수 있다고 했다.

물론 약왕문이 무림에서 사라진 지 이미 수백 년이 흐른 지금, 태양빙옥수나 약왕문은 그저 옛이야기의 한 자락에 불과할 따름이었다.

그런데 지금 만해거사의 눈앞에 앉아 있는 강만리가 그 약왕문의 태양빙옥수를 복용했다는 것이다.

명색이 의생이자 한때는 의선(醫仙)이라는 소리를 들을 정도로 출중한 실력의 소유자인 만큼, 만해거사의 아쉬움은 실로 클 수밖에 없었다.

태양빙옥수가 단 한 방울만이라도 남아 있다면 그걸 바탕으로 연구하여 새로운 태양빙옥수를 만들어 낼 자신이 그에게 있었던 것이다.

"아쉽고 아쉽고 또 참으로 아쉽구나."

만해거사는 머리를 설레설레 흔들며 중얼거리다가 문득 생각이 났다는 듯이 고개를 번쩍 들며 강만리에게 물었다.

"그래. 그렇다면 태양빙옥수를 복용하고 어떻게 몸이 달라지셨나?"

"그게……."

강만리는 엉덩이를 긁적이며 말했다.

"사실 그때 제가 중상을 입고 혼절해 있던 상황인지라

뭐가 뭔지 확실히 알지 못했습니다만…… 나중에 나름대로 고민도 하고 또 담 형님과 이야기를 나누면서 대충 이런 게 아닐까 하고 생각합니다."

"그러니까 그 대충 이런 게 아닐까 하고 생각하시는 게 뭐란 말인가?"

"우선 당시 입었던 중상이 완쾌된 걸로 보아 상당한 치유 효과가 있는 게 확실합니다."

"그야 당연하고, 또."

"그리고 저도 모르게 임독양맥(任督兩脈)이 타통되었고 삼화취정(三華聚頂)의 경지에 오른 걸 보면, 기맥을 원활하게 해 주고 내공을 증진시키는 데 있어서 탁월한 효능이 있지 않나 싶습니다."

일순 모든 사람들의 입에서 벼락처럼 고함이 터져 나왔다.

"임독양맥!"

"삼화취정이라니!"

"아이구, 배 아파라!"

고굉을 비롯한 사람들은 저마다 다른 외침을 쏟아내며 믿을 수 없다는 듯이, 부럽다는 듯이 강만리를 바라보았다.

* * *

임독양맥은 곧 임맥(任脈)과 독맥(督脈)을 뜻하는 것으로, 임맥은 음(陰)의 혈을 관장하며 독맥은 양(陽)의 혈을 관장하는 것으로 알려져 있다.

일반적으로 사람이 태어나는 그 순간의 임맥과 독맥은 뚫려 있지만 호흡을 통해 탁기가 쌓이면서 절로 폐쇄가 되는데, 그 폐쇄된 임독양맥을 타통해야만 비로소 초절정고수로 진입할 수가 있는 기틀을 마련할 수가 있었다.

하지만 어지간한 내공으로는 결코 타통할 수 없었기에, 무림인들의 평생소원 중 하나가 임독양맥의 타통이기도 했다.

삼화취정은 최소한 일 갑자의 내공과 임독양맥이 타통한 상태에서만 성취할 수 있다는 경지 중 하나였다.

옹달샘에서 물이 솟구치듯 끊임없이 단전에서 내공이 솟아나서, 아무리 많은 내공을 발출한다고 하더라도 내력이 떨어지거나 기진(氣盡)하지 않는다는 경지.

운기조식을 할 때 머리 위에 세 개의 꽃봉오리가 피어난다는 경지.

그게 삼화취정이었다.

* * *

'아이구! 배 아파! 배가 아파 죽겠다!'

조금 전 자신도 모르게 그렇게 소리치며 속마음을 내비

쳤던 고굉은 뒤늦게 정신을 차리고 속으로만 크게 외쳤다.

'내가 그걸 먹었어야 하는 건데! 왜 하필이면 저 멧돼지 같은 놈이 처먹은 게야?'

아쉽다 못해 억울했다. 억울하다 못해 분했다. 분하다 못해 살기까지 느꼈다.

그게 일반적인 사람이 지닌 본성인 게다. 사촌이 땅을 사도 배가 아픈데, 하물며 사촌도 아닌 그깟 의형(義兄)이 그런 행운을 거머쥐다니.

고굉이 속으로 온갖 욕을 퍼부으며 화를 삭일 때였다.

"가만있어 보게."

놀라서 아무 말도 하지 못하던 만해거사가 갑자기 벌떡 몸을 일으키더니 탁자 너머로 손을 뻗어 강만리의 손을 잡았다. 그리고는 한없이 진중한 얼굴로 강만리의 맥을 짚었다.

강만리는 만해거사에게 손을 맡긴 채 난감한 표정을 지었고, 다른 모든 이들은 입을 다물고 강만리와 만해거사를 가만히 지켜보았다.

그런 가운데 오직 고굉만이 입을 열어 투덜거렸다.

"세상에, 그 좋은 태양빙옥수를 혼자 먹다니."

혼자 속으로 화를 삭이다가 도저히 분이 풀리지 않았는지 고굉은 눈을 세모꼴로 뜬 채 강만리를 노려보며 투덜거렸다.

"그러고도 의형제입니까, 우리가? 몸에 좋은 게 있으면 나눠 먹어야 하는 거 아닙니까?"

강만리가 마주 노려보았지만, 고굉은 물러서지 않았다.

"아무리 혼절한 상태에서 먹었다고는 하지만 그래도 나중에 알게 된 후 십삼매에게 졸랐다면 몇 방울이라도 더 얻었을 거 아닙니까? 형님과 십삼매 사이에……."

"그만해라."

강만리가 딱딱한 목소리를 내뱉을 때였다.

"이런 세상에!"

만해거사가 깜짝 놀라며 크게 소리쳤다.

다시 사람들의 시선이 그에게로 쏠렸다. 심지어 고굉마저 입을 다문 채 호기심 가득 담긴 눈빛으로 만해거사를 쳐다보았다.

강만리의 맥을 짚던 만해거사의 손이 부들부들 떨렸다. 강만리를 바라보는 그의 눈빛도 떨렸다.

"도대체 자네……."

마른 입술 사이로 흘러나오는 목소리도 사시나무처럼 떨리고 있었다.

"내공이 이렇게 높아도 되는 겐가?"

강만리는 머쓱한 표정으로 말했다.

"뭐 그렇게 놀랄 정도까지는 아니라고 생각합니다만."

"아닐세. 당금 무림에서 자네 정도 되는 내공을 지닌

사람은 거의 없을 걸세. 저 소림의 노괴물들이 살아 있다면 가능할까? 다른 자들은 어림도 없는 일이네. 그래, 확실히 담 장주의 말이 옳았네. 강 장주의 내공, 이미 나를 뛰어넘었네."

만해거사는 두 손을 들어 항복이라는 표시를 하며 자리에 털썩 주저앉았다.

"대단하네요."

화군악이 진심으로 감탄하며 말했다. 장예추도 꽤 놀란 얼굴로 말을 받았다.

"강 형님의 내공이 높은 거야 오래전에 알고 있었지만, 그래도 무림제일의 내공을 지녔을 거라고는 전혀 상상하지 못했습니다."

그러자 설벽린이 물었다.

"도대체 몇 갑자의 내공입니까? 설마하니 삼 갑자 내공이라도 되는 겁니까?"

하지만 만해거사는 강만리의 표정을 살피며 입을 다물었다. 강만리가 허락하지 않는 한 절대로 입을 열지 않겠다는 얼굴이었다.

"그 태양빙옥수라는 거, 진짜 전설의 영약이었나 봅니다. 형님의 내공을 그렇게나 증진시켜 주다니 말입니다."

화군악의 말에 강만리는 머뭇거리면서 담우천을 바라보았다. 뭔가 할 말이 남아 있는데 자신이 직접 말하기는 좀 어색하다는 얼굴이었다.

그 표정을 알아차렸는지 담우천이 다시 입을 열었다.

"예전 북경부 연쇄살인사건을 기억하나?"

장예추와 화군악은 당연하다는 듯이 고개를 끄덕였다.

"물론이죠. 강 형님이 그걸 해결하셔서 무림포두라는 별호까지 얻지 않으셨습니까?"

"그렇지. 그때 강 아우는 그 사건을 해결한 공로로 황제 폐하와 독대하는 자리를 얻게 되었다더군."

"네, 그건 저희도 들었습니다."

"그럼 황제 폐하께서 강 아우에게 소원 하나를 들어주겠다고 한 것도 알고 있나?"

"아…… 그랬던 것 같기도 하고."

"아뇨. 거기까지는 모르고 있었네요."

"그래. 어쨌든 당시 강 아우는 황제 폐하를 알현하고 황금 만 냥과 황궁무고(皇宮武庫)에서 책이나 무기 등 하나를 선택할 수 있는 권리를 얻었지. 그렇게 해서 강 아우는 황궁무고에 들어갔다더군."

"여기서부터는 제가 말하는 게 나을 것 같습니다."

강만리가 머리를 긁적이며 말했다. 담우천이 고개를 끄덕이며 살짝 뒤로 물러앉았다. 고굉이 노려보는 가운데 강만리의 말이 계속해서 이어졌다.

3. 공청석유(空淸石乳)

북경부 연쇄살인사건은 일반 살인사건과 그 궤(軌)가 달랐다.

삼황자의 주도하에 수십 수백 명의 신하와 관원, 거기에 동창(東廠)과 무집사(武集社)까지 연루되고 심지어 강호의 비밀 조직인 경천회까지 포함된 역모(逆謀)가 바로 그 연쇄살인사건의 본질이었다.

강만리는 그 사건을 해결한 공로로 세 개의 상(賞)을 받았다.

황금 일만 냥이 첫 번째 상이었고, 황제와 내각, 동창의 인(印)이 찍힌 무림포두의 증패가 두 번째 상이었으며, 마지막 하나가 바로 황궁무고의 물건 하나를 선택할 수 있는 권리였다.

그리하여 강만리는 황족(皇族)이 아닐 일반 백성으로는 아마도 황궁무고가 만들어진 후 처음으로 그 안에 발을 디디게 되었다.

강만리는 황궁무고의 엄청난 규모에 놀라고, 그 거대한 공간에 가득 차 있는 온갖 화려한 보물과 무기, 책자들의 엄청난 양에 또 한 번 놀라야만 했다.

안내를 맡은 환관이 자랑스레 말했다.

"전 무림의 모든 비급들보다 훨씬 많은 무공 비급이 이곳에 있습니다. 물론 무기들은 당연하고요."

강만리는 환관이 늘어놓는 온갖 자랑을 귓등으로 흘려들으면서 황궁무고 곳곳을 돌아다니며 꼼꼼하게 찾아보고 확인했다.

그리고 마침내 그가 원하던 물건을 찾을 수가 있었다.

"이것도 됩니까?"

강만리의 말에 환관은 당연하다는 표정으로, 하지만 부러움과 시샘을 감출 수가 없는 얼굴로 말했다.

"물론입니다. 한 가지라면 무엇이든 선택하실 수 있습니다."

"그럼 이걸로 하죠."

강만리는 행여나 깨질세라 조심스럽게 새끼손가락보다도 훨씬 작은 병을 챙겨 품에 넣었다.

"그 작은 병에 들어 있던 게 공청석유(空淸石乳)였습니다."

강만리는 그렇게 말을 맺었다. 일순 대청이 갑자기 시끄러워졌다.

"공청석유를?"

만해거사는 물론 대청의 모든 이들이 놀라 소리쳤다.

"아니, 공청석유까지 복용하신 겁니까?"

"세상에! 그야말로 기연(奇緣)의 연속이로군요."

사람들은 외려 조금 전 태양빙옥수 때보다 훨씬 더 감탄하거나 놀랐다. 그도 그럴 것이 대다수 무림인들에게 태양빙옥수보다 훨씬 더 유명하고 귀에 익은 이름이 공청석유였으니까.

공청석유는 이른바 무림의 영약으로 알려진 모든 환단(丸丹)이나 기물(奇物) 영물(靈物) 중에서도 가장 희귀하고 또 가장 효능이 뛰어난 영약이었다.

단 한 방울만 마셔도 일 갑자 이상의 내공을 얻을 수 있다는 소리가 있을 정도로 공청석유의 효능은 실로 대단해서, 모든 무림인이 원하고 갖고 싶어 하는 영약 중의 영약이었다.

"진짜 한 방울만 마셔도 일 갑자 이상의 내공을 얻나?"

만해거사가 군침을 삼키며 강만리에게 물었다. 강만리는 쓴웃음을 흘리며 말했다.

"그건 잘 모릅니다. 하지만 병 안에 담겨 있던 양은 고작해야 세 방울 정도였고, 그걸 다 마신 결과가 지금의 제 내공입니다."

"세 방울씩이나요?"

고굉이 놀라 소리쳤다.

"아니, 돼지도 아니고 혼자서 뭘 그리 많이 먹었답니까?"

"그만 좀 해라."

"그만은 뭘 그만합니까? 아니, 그리 좋은 걸 챙기셨으면 주변 사람들에게 좀 나눠 주시든가, 아니면 나중을 위해서 가만히 가지고 계시든가 하셔야죠!"

고굉은 잔뜩 흥분하여 소리쳤다.

'홀라당 혼자 다 먹었다는 게 그게 사람 새끼가 할 짓입니까?'

하마터면 진짜로 그렇게 말할 뻔했다. 하지만 고굉은 엄청난 인내력으로 목구멍까지 튀어나온 그 말을 다시 안으로 집어삼켰다.

강만리는 고개를 저으며 한숨을 쉬었다. 그리고는 고개를 들어 고굉을 바라보았다. 강만리는 홀로 씩씩거리던 고굉이 움찔거릴 정도로 차갑고 냉랭한 눈빛으로 그를 바라보면서 입을 열었다.

"그때만 하더라도 내 주위에는 고굉 너나 다른 형제들이 없었으니까. 아, 그래. 정유는 있었네."

강만리의 말에 사람들의 시선이 정유에게로 쏠렸다. 국외자(局外者)처럼 가만히 차만 마시던 정유는 제 이름이 불리자 저도 모르게 움찔거렸다.

"미안하다."

강만리는 깍듯하게 사과했다. 정유는 어리둥절한 표정을 지으며 말했다.

"뭐가 미안한데요?"

"사실 그때 공청석유를 너와 나눠 마실 생각도 했거든."

"아, 저는 누구와는 달리 필요 없어요, 그런 거."

"그래. 그럴 거라고 생각했다. 뭐 그렇다고 해서 나눠 주지 않은 건 아니다. 단지 그때만 하더라도 태극천맹에 대해 상당히 화가 나 있었거든. 언제고 어떻게든 태극천맹의 콧대를 꺾어 놓을 생각이었기에…… 그래서 나눠 주지 못했다. 미안하다."

강만리는 자리에서 일어나 고개를 숙였다. 정유가 황급히 따라 일어나며 손사래를 쳤다.

"괜찮다니까요, 저는. 그런 걸로 너무 미안해하면 외려 제가 민망해진다고요. 그러니 두 번 다시 그 일로 미안해하지 마세요."

"고맙다."

강만리는 자리에 앉은 후 계속해서 말을 이어 나갔다.

"그래서 예예와 나눠 마시려고 했지. 하지만 거절하더군. 앞으로 계속해서 태극천맹과 싸우고 오대가문과 싸우기 위해서는 내가 지금보다 몇 배는 더 강해져야 한다면서 말이야. 그래서 나 혼자 먹었다, 돼지처럼 말이지."

강만리의 마지막 말에 화군악과 장예추는 서로를 돌아보며 쓴웃음을 지었지만, 굳이 입을 열어 말하려 하지는 않았다. 다른 이들도 묵묵히 그의 말에 귀를 기울이고 있었다.

고굉은 강만리의 차가운 시선을 견디지 못하고 고개를

푹 숙였다. 그 위로 강만리의 말이 쏟아져 내렸다.

"그게 정 아깝고 화나고 마음에 들지 않는다면…… 그래, 지금 이곳을 떠나도 좋다. 이곳을 나가서 무슨 짓을 하든 상관하지 않을 테니까 네 멋대로 해도 된다."

고개 숙인 고굉의 얼굴이 시뻘겋게 달아올랐다. 그제야 정신을 차린 게다. 화가 가라앉고 이성이 돌아오자 부끄럽고 창피해서 견딜 수가 없는 것이다.

'도대체 무슨 소리를 한 거야, 지금. 얼마나 바보 같고 멍청한 소리냐고! 아무리 물욕(物慾)에 눈이 뒤집혔다고는 하지만 그래도 할 말 못 할 말이 있는 거지, 강 형님을 면전에 두고 돼지 운운하다니.'

당장 쫓겨나도 할 말이 없었다.

"잘못했습니다."

고굉은 다 죽어 가는 목소리로 말했다. 그는 자리에서 일어나 허리를 깊게 숙이며 말을 이었다.

"잠깐 정신이 나가서 말도 안 되는 소리를 지껄였습니다. 형님에게 돼지 운운하다니…… 정말이지 뭐라 변명도 못하겠습니다. 하지만 한 번만 용서해 주신다면…… 앞으로 형님을 위해 분골쇄신(粉骨碎身)하겠습니다."

강만리는 아무 말 하지 않았다. 삭막하고 냉랭하게 가라앉은 분위기 속에서 화군악이 웃으며 말했다.

"한 번 봐주세요, 강 형님. 고 형님이 악의가 있어서 그러는 건 아니잖아요? 게다가 사실 저도 고 형님처럼 부럽고 샘이 나는 건 어쩔 수가 없거든요."

장예추도 동의했다.

"확실히 부럽고 샘나는 건 어쩔 수가 없지."

강만리가 그들을 노려보며 말했다.

"왜? 내 피라도 줄까?"

화군악이 활짝 웃으며 말했다.

"그 피를 먹고 일 갑자의 내공을 얻을 수만 있다면 얼마든지 먹겠습니다."

"이런."

강만리는 다시 화군악을 노려보고는 이내 크게 한숨을 쉬며 고굉을 향해 말했다.

"군악을 봐서 이번만은 용서할 테니 제발 입조심하란 말이다."

"명심하겠습니다, 형님."

"자, 그럼 됐네요. 고 형님도 자리에 앉으시죠."

화군악이 활기차게 손뼉을 치며 화제를 바꿨다.

"참, 화공에 대한 계획을 논의하던 와중에 어쩌다가 이쪽으로 이야기가 이어진 거죠? 이러다가 밤새겠습니다."

"그렇지."

강만리가 고개를 끄덕이며 말했다.

"지금 중요한 건 고굉을 쫓아내느냐, 내 내공이 어느

정도이냐 하는 것들이 아니지. 이 밤이 지나기 전에 정극신을 없애기 위해서는 최대한 빨리 계획을 세우고 움직여야 하니까."

천천히 자리에 앉던 고굉의 귓불이 붉게 달아올랐다.

"내 탓이 크군. 괜한 이야기를 꺼낸 것 같네."

담우천이 입을 열었다.

"하지만 이것만큼은 확실하게 못 박아 두고 싶었으니까. 지금이야 내가 제일 강한 것처럼 보이지만 강 아우나 군악, 예추 모두 얼마든지 나를 따라잡을 능력과 힘이 있다는 사실을 말이지."

강만리가 말을 받았다.

"정극신이 만만한 상대라고 생각하는 사람은 없겠지? 천하의 철목가 가주가 정극신이니까. 그를 죽인다는 건 결코 쉬운 일이 아닐 거라고. 다들 힘을 합쳐도 그 성사 여부를 장담할 수 없는 일이지."

"제 생각이 짧았습니다."

설벽린은 순순히 인정했다.

그것으로 대충 논쟁은 끝났다. 이후 강만리를 주축으로 해서 어떤 식으로 화공을 일으킬 것인지, 어떻게 정극신의 거처까지 안전하게 숨어 들어갈 것인지에 대해서 사람들은 논의하기 시작했다.

"마침 천마화폭(天魔火爆) 스무 알 정도가 창고에 있지.

그거라면 객잔 건물 대여섯 채는 단번에 박살 낼 수 있을 걸세. 그것으로 화공을 시작하는 게 어떨까 싶네만."

헌원 노대의 제안은 바로 수락되었다.

"제 수하들 중에서 그 객잔 별채의 상황에 대해서 잘 알고 있는 녀석이 있습니다. 거기 계집종과 친하게 지내느라 하루에도 두어 번씩 놀러가거든요. 그 녀석에게 객잔 지도를 그리라고 하겠습니다. 그걸로 정극신의 거처까지 빠르게 숨어 들어갈 방법을 찾는 게 좋을 것 같습니다."

고굉은 적극적으로 자신의 의견을 밝혔고, 역시 그 의견 또한 단번에 채택되었다.

"별채 밖에서 폭약을 설치하고 불을 붙이고 소란을 부리는 이들의 수는 열 명 정도면 족할 것 같습니다. 그 부분에 관해서는 속하가 노대의 도움을 받아 책임지고 맡겠습니다."

양위의 말을 반대하는 이는 없었다.

계획은 순식간에 만들어졌으며 이야기는 빠르게 진행되었다. 마치 모든 이들이 백전노장이라도 된 듯, 혹은 노련한 전문가라도 된 것처럼 자신이 해야 할 일, 맡아 처리할 일들에 대해서 한 치의 주저 없이 이야기했다.

그렇게 해서 각자 해야 할 일들이 별다른 문제없이 간단하게 정해졌다. 심지어 아란과 설벽린이 해야 할 일까지 하나도 빠지지 않고 정해졌다.

"그럼 이제 나와 만해만 남았는가?"

유 노대의 말에 정유가 쓴웃음을 흘리며 중얼거리듯 말했다.

"저도 남았습니다."

"아, 그렇군."

유 노대는 머쓱한 표정을 지으며 입을 다물었다.

정극신을 죽이러 가는 일이다. 아무리 자신과 상관없는 일이라고는 하지만, 그렇다고 해서 정유를 데리고 가는 건 역시 쉽지 않았다.

그래서였는지는 몰라도 아직 정유가 해야 할 일에 대해서는 누구 하나 입을 열지 못하고 있었다.

하지만 강만리는 달랐다.

"아, 너는 따로 할 일이 있어. 만해 사부와 유 사부와 함께 말이지."

강만리는 마치 미리 생각해 둔 바가 있다는 듯이 말했다.

"아, 그런가요?"

정유는 어떤 일인가 하고 궁금한 표정을 지었다. 만해 거사와 유 노대도 호기심 어린 눈빛으로 강만리를 쳐다보았다.

강만리가 계속해서 말을 이었다.

"너는 두 분 사부를 모시고 천수호동으로 가서 유령교

허 노야와 위천옥, 그쪽의 경계를 맡아 줘. 금강천존과의 싸움이 어떻게 진행되고 있는지도 확인하고, 행여나 그 불똥이 우리 쪽까지 튀어오지 못하도록 막아 주고."

거기까지 말한 강만리는 목이 타는 듯 차를 벌컥벌컥 마신 후 정유를 향해 재차 입을 열었다.

"그런데 한 가지만 확실히 해 두자. 다른 건 몰라도 절대로, 절대로 위천옥 그 녀석과 정면으로 부딪치면 안 된다. 알겠지?"

그의 강력한 당부에 정유는 쓴웃음을 흘리며 고개를 끄덕였다.

"물론입니다. 그런 괴물은 담 형님이나 강 형님에게 맡기도록 할게요."

"그래. 그러면 됐다."

강만리는 끄응, 하며 사람들을 향해 말했다.

"자, 그럼 바로 움직이도록 합시다. 이 밤이 지나기 전에 모든 걸 끝내자고요."

일순 사람들이 빠르게 움직이기 시작했다.

7장.

불타는 성도부

순간, 처음으로 정극신의 표정에서 비웃는 미소가 사라졌다.
동시에 그의 표정이 딱딱하게 굳어졌다.
지금 자신을 향해 섬전처럼 빠르게 찔러 오는 저 검날!
분명 어딘가에서 본 적이 있는 형태였다.

불타는 성도부

1. 약속된 시간

강만리는 검은색의 야행복과 검은 복면을 착용하면서 투덜거렸다.

"그새 살이 찐 모양이네. 옷이 꽉 껴."

성도부에서 난동을 부리던 무적가 사람들을 상대하기 위해 입은 후 처음이었다. 그로부터 겨우 한 달 정도밖에 지나지 않았거늘 어깨나 가슴 부위가 찢어질 것처럼 꽉 조였다. 이제는 멧돼지가 아니라 불곰처럼 보일 지경이었다.

"살이 찐 게 아니라 근육이 늘어난 겁니다."

날렵한 옷매무시의 장예추가 그렇게 말했다. 강만리는

재차 투덜거렸다.

"근육이나 살이나."

"그런데 형님."

화군악이 복면을 뒤집어쓰며 말했다.

"뭐?"

"내공이 얼마나 됩니까?"

"그걸 내가 어찌 아누."

"그래도 대충 알잖습니까? 본인이 자기 내공을 모르는 게 말이나 됩니까?"

"하지만 진짜 모른다니까."

강만리가 끙끙거리며 바지를 입었다. 벌써 다 갈아입은 장예추가 그의 옷 입는 걸 도와주었다.

강만리는 길게 한숨을 토해내며 말했다.

"고맙다. 그리고 진짜 몰라. 내가 익힌 심법이 이상한 건지, 아니면 태양빙옥수나 공청석유의 효능 때문인지는 몰라도 운기조식을 하면 내공이 뻥튀기처럼 늘어나는 것 같거든."

일반적으로 가장 평범한 자질을 가진 사람이 평범한 방법의 운기조식을 육십 년 동안 꾸준히 해서 얻을 수 있는 게 일 갑자의 내공이었다.

그러나 자질이 뛰어나거나 혹은 상승의 심법을 익혔거나 하는 경우에는 일반적인 경우보다 두 배, 세 배의 내공을 쌓을 수도 있었다.

하지만 그렇다고 해서 십 갑자니, 이십 갑자니 하는 식의 내공은 이야기 속에서나 나오는 허황된 숫자에 불과했다.

물론 무당파의 팔단금을 완벽하게 수련한다면 그에 버금가는 내공을 얻는다고 알려져 있기는 하지만, 무당파를 세운 장삼봉(張三峰) 조사(祖師)를 제외하고는 지금껏 그 누구도 그 경지에 오른 이가 없었다.

어느새 복장을 다 갖춘 화군악은 아직도 끙끙거리며 야행복을 착용하고 있는 강만리를 바라보며 입을 열었다.

"일반적으로 소림사 대환단 한 알이 이십 년 내공을 준다 했고, 공청석유가 대환단 서너 개의 효과라고 했으니 적게 잡아도 일 갑자라고 치고, 그걸 혼자서 세 방울이나 마셨으니까 또 적게 잡아서 이 갑자……."

화군악은 손가락까지 꼽아 가며 말을 이어 나갔다.

"거기에다가 태양빙옥수까지 드셨으니까…… 으음, 아주 깍쟁이처럼 생각해서 태양빙옥수와 공청석유의 효능이 비슷하다고 치면 최소한 사 갑자의 내공을 지니셨겠네요. 거기에다가 기존 일신의 내공까지 더하면…… 어휴, 왜 만해 사부가 그렇게 놀랐는지 대충 알 것 같습니다."

강만리가 복면을 뒤집어쓰며 말했다.

"아무리 약을 복용했다고 해도 그렇게 일 더하기 일은

이, 이런 식으로 내공이 늘어나는 건 아니라니까. 내 것으로 완벽하게 소화시키지 못한 채로 잠재된 내공도 있고, 태양빙옥수의 효력과 공청석유의 효력이 서로 상충되면서 깎여 나간 부분도 있고…… 그러니까 얼마다, 꼭 이렇게 단정 지어 말할 수가 없어."

"어쨌든 당금 무림에서 가장 내공이 높은 사람은 형님인 게 확실하겠네요."

"그것도 모르는 일이지. 나처럼 영약을 먹은…… 아, 위천옥이라면 나보다 훨씬 많은 영약을 먹지 않았을까? 말 그대로 사마외도의 모든 전력을 동원하여 키운 인물이니까."

강만리의 말에 화군악이 입을 다물었다. 수년 전의 공포가 되살아나는 듯한 느낌인 듯 얼굴빛까지 변했다.

마침 설벽린이 문을 두드렸다.

"다른 이들은 모두 준비가 다 되었습니다."

강만리가 마저 복면을 뒤집어쓰며 얼른 말했다.

"우리도 다 됐어. 나가지."

강만리와 화군악, 장예추는 곧장 방을 나섰다. 설벽린이 기다리고 있다가 그들을 안내해 대청으로 향했다.

대청에는 흑의 야행복과 검은 복면을 뒤집어쓴, 정체를 알 수 없는 자들이 대략 이십여 명 정도 모여 있었다. 바로 이번 거사(巨事)에 동원된 정예들이었다.

"다들 복면을 쓰고 있으니 누가 누군지 모르겠군그래."

강만리의 말에 유일하게 복면을 쓰지 않은 설벽린이 웃으며 말했다.

"그럼 제가 일일이 소개해 드릴까요?"

"됐네. 농담도 못 하겠다니까."

강만리는 손사래를 한 번 친 다음, 우측의 복면인을 향해 말했다.

"행여나 위천옥과 손을 겨루겠다는 생각은 절대로 하면 안 된다. 알겠지?"

마치 아이를 물가에 내놓으면서 걱정하듯 강만리가 말하자 훌쩍 키가 크고 늘씬한 체구의 복면인이 웃으며 대답했다.

"알겠다니까요. 그 괴물은 형님에게 맡긴다고 했잖습니까?"

"그럼 됐고. 두 분도 마찬가지이십니다."

강만리가 그 옆, 키가 훌쩍 큰 복면인과 반대로 상당히 왜소한 체구의 복면인을 향해 단단하게 주의를 주었다.

두 복면인이 낄낄거리면서 웃었다.

"괜한 걱정하지 말게. 우리는 굿이나 보고 떡이나 먹을 테니까."

"좋아요. 그런 사고방식이 가장 좋습니다."

강만리는 다시 고개를 돌려 한 무리의 복면인들 앞에

서 있는 복면인을 향해 말했다.

"천마화폭은 위험한 물건이니까 조심히 다루시게, 양당주."

"명심하겠습니다."

"그럼 다 된 것 같군. 다들 맡은 임무에 최선을 다하기로 하고, 그보다 중요한 건 절대 죽으면 안 된다는 것. 위험한 상황이라면 임무를 포기하고 도망치는 것. 다들 그런 각오로 임하도록 합시다!"

사람들 사이에서 웃음이 터졌다. 하지만 곧 그들 모두 힘차게 복창(復唱)했다.

"명을 받들겠습니다!"

여전히 밤바람은 차가웠다. 북풍한설(北風寒雪)까지는 아니더라도 봄이 오기 직전의 바람은 눈이 시릴 정도로 매서웠다.

눈만 뺑 뚫린 복면 차림을 한 사람들은 화평장을 나서자마자 제각기 서로 다른 방향으로 몸을 날렸다. 이내 그들의 신형은 매서운 바람을 뚫고 어둠 속으로 사라졌다.

성도부의 밤거리는 어둡고 조용했다.

술에 취해 고성방가(高聲放歌)를 하는 이들도 보이지 않았고, 몇몇이 우르르 몰려다니며 애꿎은 행인들을 희롱하는 광경도 없었다. 이날따라 성도부 밤거리가 쥐 죽은 듯 고요한 것이 마치 폭풍 전야(前夜)의 고요함처럼 느껴졌다.

강만리가 함께하는 네 명의 복면인들과 양위가 이끄는 십여 명의 복면인들은 그 어둡고 조용한 밤거리를 가로지르며 날았다. 그들의 행공(行空)은 마치 밤하늘을 가르는 야조(夜鳥)처럼 민첩하며 우아했다.

복면 밖으로 흘러나오는 그들의 눈빛은 긴장감으로 가득 차 있었다. 어디까지나 지금 그들이 날아가고 있는 곳은 철목가의 본진이 묵고 있는 객잔이었으니까.

그렇게 화평장을 나선 지, 반 식경가량 흘렀을까.

복면인들은 철목가 사람들이 통째로 빌린 객잔에서 백여 장 떨어진 곳에서 걸음을 멈췄다. 그리고는 은밀하게 보법을 밟으며 이동하기 시작했다.

경공술은 빠르기는 하지만 상대의 이목에 걸릴 가능성이 컸다. 이렇게 허리를 낮추고 어둠을 이용하여 천천히 보법을 밟아 나가는 것이 잠입술의 기본이었다.

"지도에서 확인한 대로 저 건물, 그리고 저쪽하고 저쪽 별채 이렇게 세 곳에 천마화폭을 설치하겠습니다."

양위가 강만리에게로 다가와 소곤거렸다.

"건물을 폭파하고 불을 지르자마자 곧장 북쪽 지역의 경계를 어수선하게 만들 겁니다. 그 혼란을 이용하시면 될 것 같습니다."

강만리가 물었다.

"객잔 사람들은 피해가 없겠지요?"

"아마 그럴 겁니다. 흑룡방 무사의 말에 따르자면 우리가 폭파할 건물 모두 철목가 무사들의 거처라고 하니까요."

"그래요. 어쨌든 일반 사람들의 피해는 최소화할 수 있도록 합시다."

"그리 노력하겠습니다."

"그럼 수고하시오."

강만리의 배웅을 받으며 양위는 수하들과 함께 먼저 자리를 떴다. 그들이 어둠 저편으로 사라진 후, 강만리와 세 명의 복면인들은 남쪽으로 이동했다.

성동격서(聲東擊西).

북쪽에서 양위 일행이 소란을 부린다 했으니 당연히 남쪽으로 잠입하는 게 정도(正道)인 것이다.

강만리 일행은 별채를 둘러싼 외곽 담 밑에 몸을 숨긴 후 폭발음이 터지는 순간을 기다렸다. 기다리기가 심심했는지 문득 화군악이 담우천을 향해 물었다.

"그런데 진짜 담 형님보다 강 형님이 더 강한 겁니까?"

"군악아."

강만리가 눈살을 찌푸리며 제지했다.

"뭐 어때요? 심심풀이 삼아 이야기할 수도 있죠. 누가 더 강하다고 해서 삐칠 형님들도 아니시고요."

화군악은 싱글거리며 말했다. 강만리는 다시 한 소리를 하려다가 한숨을 쉬며 고개를 설레설레 흔들었다.

그에 담우천이 차분한 어조로 말했다.

"지금의 내공과 아직 제대로 소화하지 못한 내력을 온전하게 자신의 것으로 만들어 자유자재로 사용할 수 있게 된다면…… 그때는 확실히 나보다 강해졌다고 할 수 있을지도 모르지. 물론 그때가 되면 나 역시 더 강해져 있겠지만 말이야."

"흠, 그렇군요."

화군악이 고개를 끄덕였다.

"그러니까 아무리 강 형님이 노력해도 결국에는 담 형님을 쫓아오지 못한다는 말씀이시네요. 그걸 가지고 뭘 그리 에둘러 말씀하시는……."

화군악이 거기까지 말할 때였다.

콰앙! 쾅! 콰아앙!

요란한 폭음이 터졌다. 천 평이 넘는 거대한 객잔 부지 전체가 가라앉는다고 느껴질 정도로 거대한 폭발이었다.

강만리 일행이 몸을 숨기고 있는 담에 금이 가고 흙먼지가 우수수 흘러내렸다. 그 뒤를 이어 거대한 불기둥이 내뿜는 뜨거운 열기가 북풍을 타고 강만리가 있는 곳까지 들이닥쳤다.

"불이야! 불이야!"

"다들 일어나라!"

뒤늦게 사람들의 비명과 고함이 들려왔다.

정원을 가로질러 마구 달리는 소리, 누군가 물을 길어 오라고 닦달하는 소리, 화마(火魔)에 휩싸인 자들이 내지르는 끔찍한 비명과 절규.

이내 객잔은 아수라장이 되었다.

"갑시다."

강만리가 낮고 빠른 어조로 말했다. 드디어 약속된 시간이 온 것이다.

2. 전투광(戰鬪狂)

기다렸다는 듯이 담우천이 곧바로 몸을 날려 담을 넘었다. 약속대로 담우천이 선두에 서고, 그 뒤를 따라 강만리와 장예추, 화군악이 동시에 담을 뛰어넘었다.

담장을 뛰어넘은 담우천은 몸을 한껏 낮춘 후 주위를 둘러보았다.

담을 넘기 전부터 이 주변에 기척이 없다는 걸 미리 확인한 터였다. 그럼에도 불구하고 담우천은 쉽게 움직이지 않았다. 주변을 둘러보고 어둠이 내려앉아 시야에서 가려진 지역도 재차 확인하고 나서야 비로소 움직이기 시작했다.

그렇게 한 번 움직이기 시작한 담우천은 쉬지 않고 달렸다.

그리하여 담우천 일행은 단 한 번도 멈추지 않은 채 정극신의 거처 앞까지 이를 수 있었으며, 또한 믿을 수 없게도 그곳에 당도할 때까지 그들은 단 한 명의 적과도 조우하지 않았다.

"대단하네요."

담우천의 뒤를 따르던 장예추가 혀를 내둘렀다.

"저도 나름대로 은신과 잠입에 일가견이 있다고 생각했는데 담 형님은 아예 차원이 다르십니다."

강만리가 궁금하다는 듯이 물었다.

"많이 차이가 나나?"

"그럼요. 담 밖에서 여기까지 오는데 대략 이십 차례 정도 철목가 경비들과 마주칠 뻔했습니다. 물론 저도 그들과 조우하지 않고 예까지 올 수 있었겠지만, 그러려면 상당한 시간과 노력이 필요합니다. 아마 지금쯤 절반도 채 오지 못했을 겁니다."

하지만 담우천은 달랐다.

그는 아주 자연스러우면서도 신속하게 적의 배치를 확인하고 반응했다. 적이 없는 공간과 적의 시야가 닿지 않는 공간을 이용하여 마치 경신술을 펼치듯 달려 나갔고, 미처 적의 이목이 닿기도 전에 순식간에 그 자리를 벗어났다.

경계를 서는 무사들이 우측을 바라볼 때 담우천은 그들의 왼쪽을 내달렸고 무사들이 은신하고 있는 등 뒤로 움직였으며, 시야의 사각과 허점을 이용하여 빠르게 적의 경계를 뚫고 그 곁을 지나쳐 갔다.

그야말로 장예추를 비롯한 의동생들에게 잠입술의 새로운 지평을 보여 주는 일련의 움직임이었다.

담우천은 장예추의 칭찬이 계속되자 살짝 쑥스러운 표정을 지으며 화제를 바꿨다.

"담 두 개를 넘으면 정극신의 처소네. 확실히 대단하고 오만하며 자신만만한 인물이라니까. 예까지 그 위풍당당한 기세가 느껴질 정도이니까."

숨거나 피하지 않으마. 덤빌 테면 덤벼라. 언제든지 받아 주마, 하는 배포와 위엄이 넘치는 기세가 저 두 개의 담 너머에서부터 위압감을 주며 흘러나오고 있었다.

역시 오대가문의 가주, 철목가의 가주다운 기개였다.

"덕분에 밑의 수하들은 죽을 맛이겠고."

화군악이 중얼거렸다.

"놈이 저 잘난 맛에 저렇게 행동하는 것도 수하들이 뒤에서 최대한 보호하고 경계해 주기 때문에 가능한 일이니까. 하지만 놈은 그것도 모르고 오직 저 혼자 잘나서 그런다고 생각하겠지."

장예추가 고개를 갸웃거리며 물었다.

"정극신에게 나쁜 기억이라도 있어?"

"아니."

화군악은 가볍게 눈살을 찌푸리며 말했다.

"하지만 정유 형님을 버린 놈이잖아. 자식 취급을 하지 않을 거라면 애당초 낳지를 말았어야지. 기개니 위엄이니 하는 것을 떠나 원래 나쁜 자식이라니까."

"흠."

장예추는 묘한 눈길로 화군악을 바라보았다.

그때 담우천이 입을 열었다.

"순찰을 돌던 자들이 사라졌다. 지금이다."

담우천은 말이 끝나기가 무섭게 담을 뛰어넘었다. 강만리와 장예추, 화군악도 얼른 그 뒤를 따랐다. 그들은 별당처럼 꾸며진 작은 공간을 빠르게 가로질러 두 번째 담을 훌쩍 뛰어넘었다.

담을 넘은 그들이 지면에 내려서는 순간이었다. 마치 호랑이의 그것과도 같은 눈빛과 살기와 위압감이 그들을 향해 거칠게 휘몰아쳐 왔다.

강만리는 살짝 무릎을 굽히며 전면을 바라보았다.

객청 입구.

마치 강만리 일행을 기다리고 있었다는 듯이 장대한 체구의 노인이 문틀에 등을 기댄 채 서 있었다.

그 앞에는 살짝 뚱뚱한 체구의 중년인이 놀란 눈빛으로 강만리들을 바라보고 있었지만, 강만리의 시선은 온통 장대한 체구의 노인에게로 쏠려 있었다.

바로 그가 철목가의 가주 정극신이었다.

정극신의 면모를 확인한 강만리의 가슴이 쿵쾅거렸다.

'확실히 대단한 풍모를 지녔구나.'

강만리는 가뜩이나 작은 눈을 더욱더 가느스름하게 뜨며 정극신을 지켜보았다.

그가 오대가문의 가주를 만난 건 지금이 처음이 아니었다. 황궁의 연쇄살인사건을 해결한 후 강만리는 자신을 찾아온 천왕가(天王家)의 가주 사양곤과 대면한 적이 있었다. 또한 태극천맹의 맹주와도 마주한 적이 있었으며, 무집사의 수좌와도 독대한 적이 있었다.

그들 모두 천하를 호령하고 위진천하(威震天下) 할 정도의 기개와 위압감을 지니고 있었지만, 지금 눈앞의 정극신은 조금 달랐다.

뭐랄까, 천하를 아우르는 풍모보다는 독불장군처럼 홀로 우뚝 서서 세상을 제압하려는 기세가 더 강하다고나 할까.

"누구냐!"

살짝 뚱뚱한 체구의 중년인이 정극신의 앞을 가로막고 나서며 소리쳤다.

"감히 이곳이 어디라고 함부로 들어오느냐? 여봐라! 게 아무도 없느냐!"

중년인은 발작하듯 소리쳤다. 그러자 정극신이 눈살을 찌푸리며 말했다.

"너는 안으로 들어가 있어라."

중년인이 움찔거리며 뒤를 돌아보았다.

"하, 하지만 가주……."

"네가 있어 봤자 아무런 도움이 되지 않으니까. 어서 안으로 들어가라."

중년인은 정극신을 꽤나 무서워하는 듯했다. 정극신이 매몰차게 말하자 중년인은 어쩔 도리 없다는 듯이 허리를 숙이며 말했다.

"그럼 보중(保重)하십시오, 가주."

중년인은 그 말을 남긴 후 다시 강만리 일행을 한 번 노려본 다음 서둘러 객청 안으로 들어섰다. 이제 객청 입구에는 오로지 정극신만이 남아 있었다.

정극신은 거만한 눈빛으로 강만리 일행을 쓸어보며 입을 열었다.

"그래도 본인을 찾아오는 이들이 이무기 정도는 될 줄 알았더니, 알고 보니 얼굴도 숨기려는 쥐새끼들뿐이로군그래."

그의 목소리가 우렁우렁하게 울려 퍼졌다.

강만리는 가만히 정극신을 바라보았다.

대화보다는 주먹을, 협상보다는 제압을, 평화보다는 전쟁을 갈망하는 자의 얼굴이었고 눈빛이었으며 호흡이었다.

'전투광(戰鬪狂).'

그랬다.

정극신은 오로지 전투를 즐기고 승부를 오락으로 여기며 사람의 목숨을 빼앗는 게 취미인 자였다.

다르게 말하면 살인마라고 할 수도 있었고, 또 다르게 말하면 유아독존(唯我獨尊) 독불장군(獨不將軍)이라고도 할 수 있었다.

그때였다.

"길게 말할 것 없다."

담우천이 강만리들을 향해 소곤거렸다.

"속전속결(速戰速決), 방해꾼들이 몰려들기 전에 최대한 빨리 결판을 내는 거다."

화군악과 장예추가 고개를 끄덕이며 말했다.

"우리들은 철목친위를 맡겠습니다."

강만리도 속삭였다.

"그럼 계획대로 움직이는 겁니다."

그렇게 네 명이 소곤거리며 대화를 나누자, 여전히 문틀에 기대어 있던 정극신은 피식 웃으며 비웃었다.

"알고 보니 겁쟁이 쥐새끼들이로군. 예까지 와서 망설이다니 말이야."

그의 말이 끝나는 순간이었다.

담우천이 벼락처럼 몸을 날렸다. 화군악과 장예추가 지면을 박차고 섬전처럼 뛰어나갔다. 강만리는 한껏 내공을 끌어올렸다. 그의 야행복이 금방이라도 찢어질 것처럼 부풀어 올랐다.

그제야 비로소 정극신의 눈빛이 살짝 변했다.

"호오. 생각보다 제법 힘 좀 쓰는 겁쟁이 쥐새끼들이었군."

정극신이 중얼거리는 동안 담우천과 화군악, 장예추는 십여 장 거리를 단숨에 격하고 그의 지근거리까지 덮쳐들었다.

하지만 그들의 칼과 검은 정극신을 찌르지 못했다.

담우천 일행이 바로 객청 입구에 당도했을 때, 객청의 지붕에서 객정 뒤쪽에서, 석등 뒤에서 일곱 명의 무사들이 거짓말처럼 튀어나와 그들의 앞을 가로막았던 것이다.

오남(五男) 이녀(二女)로 구성된 그들은 칼과 검, 철구(鐵鉤)와 구절편(九節鞭) 등의 무기를 휘두르며 담우천들을 공격했다.

정극신을 그림자처럼 수호하는 철목친위가 드디어 모습을 드러낸 것이다.

철목친위의 합격술(合擊術)은 실로 절묘했다. 가까운 거리에서는 칼이 날아들고 검이 찔러 왔으며 철구가 휘몰아쳤다.

우웅!

조금 거리가 떨어진 곳에서는 구절편이 요란한 소리와 함께 기이한 각도에서 꺾어져 들어왔고, 장창(長槍)의 날이 휘청거리며 파고들었다.

수천 번, 수만 번 손발을 맞춘 게 분명한 합격술!

경험이 없고 내력이 부족하면 어떻게 대처할지 몰라 손발이 어지러워져 그대로 일패도지(一敗塗地), 목숨을 잃게 되는 협공이었다.

하지만 담우천이나 화군악, 장예추는 경험이 없지도, 내력이 부족하지도 않았다.

외려 지금 합격술을 펼치는 이들보다 훨씬 더 많은 경험을 쌓은 게 그들이었다. 심지어 강시(殭屍)와도 싸워봤으며, 오대가문의 가주와도 혈전을 벌인 그들이었다.

그들은 일곱 명의 철목친위가 모습을 드러내자마자 사방으로 흩어지면서 저들의 공격권에서 벗어났다.

마치 눈이라도 달린 것처럼 구절편과 장창이 쫓아오는 가운데 담우천은 허공 높이 몸을 띄워 일곱 명의 머리를 뛰어넘었고, 화군악은 우측으로 장예추는 좌측으로 크게 돌아서 철목친위에 역습을 가했다.

화군악은 오른손으로 검을 내지르고 왼손으로는 월령일섬지의 지풍을 날렸다. 장예추는 은형환무(隱形幻霧)의 보법을 밟아 철목친위의 공격을 피하는 동시에 일도양단의 수법으로 힘차게 칼을 휘둘렀다.

그들의 움직임은 현묘해서 철목친위의 이목을 속였고, 그들의 칼과 검이 일으키는 파공성은 귀를 찢을 것만 같았다.

"어딜!"

철목친위는 크게 소리치며 저마다의 병기를 휘둘러 화군악과 장예추의 공격을 막았다.

챙! 챙챙챙!

병장기 부딪치는 소리가 요란하게 울려 퍼지는 가운데, 단숨에 철목친위의 머리 위를 뛰어넘은 담우천은 정극신의 가슴에 일검을 찔러 갔다. 무적가 가주를 해치웠던 바로 그 일원검(一元劍)의 절기가 펼쳐진 것이다.

순간, 처음으로 정극신의 표정에서 비웃는 미소가 사라졌다. 동시에 그의 표정이 딱딱하게 굳어졌다.

지금 자신을 향해 섬전처럼 빠르게 찔러 오는 저 검날!

분명 어딘가에서 본 적이 있는 형태였다.

정극신의 뇌리에 퍼뜩 떠오르는 생각이 있었다. 일순,

그는 더없이 분노하여 일갈(一喝)을 내질렀다.

"그래! 네놈이었구나!"

그는 벼락처럼 소리치며 두 팔을 앞으로 내뻗었다. 그의 두 손과 담우천의 검극이 허공 한가운데에서 마주쳤다.

콰앙!

손과 검이 마주친 거라고는 도저히 상상할 수 없는 거대한 폭음이 일어났다.

3. 아비규환(阿鼻叫喚)

"흠, 이해가 가지 않는군."

만해거사가 중얼거렸다. 그는 건물 지붕에서 지붕을 타고 천수호동으로 달려가는 중이었다.

"아무리 무림오적들이 강하다 할지라도 상대는 철목가의 정 가주. 손을 쓸 수 있는 동료가 많으면 많을수록 좋은 게 당연한 일. 그런데 왜 자네와 나를 뺐을까?"

만해거사는 나란히 지붕을 타고 달리는 유 노대에게 물었다. 유 노대는 아무런 대답을 하지 않았지만, 바로 뒤를 따라오던 정유가 대신 입을 열었다.

"저 때문입니다."

"응?"

만해거사가 뒤를 돌아보자, 정유는 씁쓸하게 웃으며 말했다.

"두 분은 저를 감시하기 위해서 동행하게 된 겁니다."

"감시? 아니, 왜?"

"행여 제가 마음을 바꿀까 하고 걱정이 되었겠죠."

"아…… 허험, 무슨 말인지 알겠네. 하지만 강 장주가 설마 그런 마음으로 우리와 자네를 동행시킨 건 아니라고 생각하네."

사실 만해거사는 이날에야 비로소 이 잘생긴 귀공자풍의 청년이 철목가주 정극신의 서자(庶子)라는 걸 알게 되었다.

'참 고약하겠구나. 버려졌다고는 하지만 어쨌든 정 가주는 자신의 친부가 아니던가. 인륜(人倫)과 의형제 간의 의리 사이에서 정말 고민스럽겠구나.'

그게 정유의 사정을 알게 된 후 만해거사가 느낀 감정이었고, 또 그래서 이 잘생긴 청년의 처지를 동정하기도 한 것이다.

"네. 아마도 나쁜 뜻은 아닐 겁니다."

정유는 활짝 웃으며 말했다.

"단지 제가 다른 생각을 하지 못하게끔 정신을 똑바로 차리게 하려고 천수호동으로 보낸 건 확실하겠죠."

"흠, 그렇게도 생각할 수 있겠군. 어쨌든 너무……."

만해거사가 계속해서 말을 이어 가려 했지만 유 노대가 그의 팔을 잡으며 눈치를 주었다.

오지랖이라는 것이다. 굳이 격려나 조언을 해 주지 않아도 충분히 알아서 할 친구라는 것이다. 그러니 늙은 것 티내지 말고 가만히 지켜보는 게 좋다는 의미의 눈짓이었다.

만해거사도 나름대로 연륜이 쌓인 노익장, 그 의미를 이해하지 못할 리가 없었다. 그는 "허험." 하며 애꿎은 헛기침으로 이야기를 대충 마무리하고는 다시 곧바로 천수호동을 향해 경공술을 펼쳤다.

하지만 그것도 잠시, 만해거사는 저도 모르게 삼 층 객잔 지붕 위에서 발걸음을 멈췄다.

"어라?"

유 노대와 정유도 따라서 걸음을 멈추고 북쪽 방향으로 시선을 고정했다.

저 멀리 천수호동 쪽에서 거대한 불길이 피어오르고 있었다. 얼마나 거센 불길이었는지, 제법 거리가 떨어져 있음에도 불구하고 그 뜨거운 열기가 얼굴에 와닿을 정도였다.

"화공이로군, 그쪽도."

정유가 고개를 끄덕이며 중얼거리자 만해거사 그를 돌아보며 물었다.

"그쪽이라면?"

정유는 망설이지 않고 대답했다.

"당연히 유령교 측이겠죠. 화공은 포위망을 무너뜨리는 가장 좋은 방법 중의 하나이니까요."

정유는 그 밤하늘을 시뻘겋게 물들이고 있는 불길을 바라보며 말을 이었다.

"저 불길의 기세로 보건대 이미 철목가의 포위망은 와해된 상태인 것 같습니다. 어쩌면 금강천존과 위천옥의 승부도 결정이 난 것 같고요."

"그래? 누가 이겼다고 생각하나?"

"그야 만해 사부와 같은 생각이죠."

"자네도 금강천존이 패했다고 생각한단 말이지?"

"다른 사람도 아닌 담 형님이 두려움을 느낄 정도라면…… 당금 천하제일의 고수라고 할 수 있을 테니까요. 아무리 금강천군이 고강하다 할지라도 처음부터 승패는 결정된 게 아닐까 싶습니다."

"흠, 그렇게까지 이야기를 듣고 보니 진짜 그 위천옥이라는 아이와 한번 부딪쳐 보고 싶군그래."

만해거사의 말에 유 노대가 피식 웃으며 말했다.

"아서게. 괜히 망신당하지 말고 그저 강 장주 말대로 멀리서 지켜보기만 하자고."

"뭐, 망신을 누가 당하는지는 붙어 봐야 알겠지."

만해거사는 어깨를 으쓱거리며 말하다가 다시 정유를 돌아보며 물었다.

"그럼 금강천존을 없애고 포위망을 빠져나온 위천옥과 유령교 사람들은 지금쯤 어디에 있을까?"

정유는 잠깐 생각하다가 입을 열었다.

"위천옥이라는 소년의 성정이 포악하고 오만하며 독불장군이라 들었습니다. 그러니 감히 자신에게 공격을 감행한 철목가를 가만 놔두지 않을 것 같네요."

"으음? 그 말인즉슨, 설마 그 아이가 철목가주에게 본때를 보이겠다고 나선다는 겐가?"

"제 추측대로 그가 금강천존을 쓰러뜨렸다면, 충분히 그럴 가능성이 큽니다."

"호오. 이것 참, 일이 묘하게 흘러가는군."

만해거사가 감탄하고 있을 때 유 노대가 그들을 채근했다.

"이러고 있다가 자칫 그들의 행적을 놓칠 수가 있겠네. 한 번 놓치고 고생하느니 최대한 빨리 달려가서 그들의 뒤를 좇는 게 나을 것 같은데."

"옳은 말씀이십니다."

정유가 고개를 끄덕이며 동의했다. 만해거사가 씨익 웃으며 말했다.

"그럼 누가 제일 먼저 저기까지 당도하나 내기를 하자고. 진 자는 거하게 밥 한 끼 사는 걸로."

"좋지."

"좋습니다."

유 노대와 정유의 말이 떨어지기가 무섭게 만해거사가 제일 먼저 지붕을 박차고 불길이 넘실거리는 천수호동 쪽으로 신형을 날렸다.

"하여튼 반칙만 한다니까!"

유 노대가 그 뒤를 쫓았고 정유 또한 빠른 속도로 몸을 날려 그들을 뒤쫓았다.

세 사람은 앞서거니 뒤서거니 하면서 성도부 밤하늘을 날았다. 그들이 한 번씩 지붕 기와를 걷어찰 때마다 무려 사오 장 거리가 훌쩍 단축되었다.

"푸하하하! 좋구나! 역시 산을 내려오기를 잘했다!"

만해거사는 수염과 머리카락을 휘날리며 크게 웃음을 터뜨렸다. 혼자서 도를 닦듯 만해암에 처박혀 있을 때와는 달리 이렇게 동료들끼리 경공술 내기도 하는 것이 그의 마음에 쏙 든 모양이었다.

"지고 나서 변명이나 하지 말라고!"

유 노대는 쉴 새 없이 곤륜대팔식을 운용하며 밤하늘을 이리저리 날았다.

'곤륜파의 노기인이었구나.'

유 노대의 곤륜대팔식을 보고 뒤늦게 그의 정체를 알게 된 정유는 내심 심각한 고민에 빠져들었다.

'정파의 기인이라는 건 알고 있었지만 명문 거대 문파인 곤륜파 사람일 줄은 미처 몰랐다. 그런데도 태극천맹와 오대가문에 반기를 들고 강 형님을 도운다? 으음, 이거 생각보다 훨씬 인심이 이반(離叛)한 모양이구나.'

정유가 태극천맹의 맹주 정문하로부터 받은 밀명을 간략하게 요약한다면 강만리를 도와 오대가문과 싸우라는 내용이라 할 수 있었다.

하지만 좀 더 깊게 파고들면 강호를 돌아다니면서 과거 태극천맹에 우호적이었던 노기인들을 섭외하고 끌어들이라는 것도 그 밀명에 포함되어 있었고, 오대가문에 협조하는 중소 문파들을 배제하라는 것 역시 그 밀명 중의 하나였다.

그런 의미에서 보자면 이 유 노대나 만해거사와의 만남은 정유에게 큰 도움이 된다고 할 수 있었다.

그러나 저들이 오대가문뿐만 아니라 태극천맹에 대해서도 불신하는 기색이 역력한 까닭에 좀처럼 자신의 임무를 진척시키기가 어려운 게 현실이었다.

"내가 선착이로군."

만해거사가 천수호동 외곽 지역과 도로 하나를 마주한 곳의 지붕 위에 발을 디디며 말했다. 아슬아슬하게 그 뒤를 따라 지붕 위에 내려선 유 노대가 인상을 찌푸렸다.

"반칙이라니까."

정유는 조금 시간 차를 두고 그들의 뒤쪽에 내려섰다. 그는 승부보다는 바로 코앞에서 불타오르는 거대한 불기둥을 바라보며 살짝 눈살을 찌푸렸다.

'이거 자칫하다가는 천수호동만이 아니라 성도부 전역이 불타오르겠는데?'

그런 생각이 절로 들 정도로 불길은 거대했고, 주변 건물과 집들을 송두리째 태웠다. 비명과 절규, 안간힘을 다한 고함이 쉴 새 없이 들려왔다. 연기와 재가 사방으로 흩어졌다.

그나마 다행이라고나 할까. 정유 일행이 서 있는 곳은 천수호동보다 북쪽, 반면 불길은 바람을 타고 점점 남하하고 있었다.

무심한 눈길로 주변을 훑어보던 정유의 눈썹이 일순 꿈틀거렸다. 불길과 불길이 악마의 혓바닥처럼 날름거리며 타오르는 천수호동에서 두 무리의 사람들이 치열하게 전투를 벌이는 광경이 언뜻 시야에 들어왔던 것이다.

하지만 그 전투는 이내 싱겁게 끝나고 말았다. 서너 명의 장한들은 자신들을 에워싼 십여 명의 무사들을 상대로 가볍게 승리를 거뒀고, 패한 무사들은 부상을 입은 동료들을 등에 업고 불길 사이를 빠져나갔다.

"대단하네."

정유는 그 광경을 지켜보며 중얼거렸다.

“철목가, 그중에서도 금강천군이 이끄는 무사들이라면 일류급 이상의 실력자들인데…… 루호라는 자가 생각보다 훨씬 강했구나.”

십여 명의 철목가 무사들을 물리친 서너 명의 장한 중에는 정유가 몇 번 마주쳐서 알고 있는 인물이 있었다.

‘어쨌든 다행이다. 저 루호라는 자를 따라가면 허 노야를 만날 수 있을 것이고, 또 허 노야를 만나면 다시 위천옥이라는 자와 마주칠 수 있을 것이다.’

그렇게 생각한 정유는 곧 만해거사와 유 노대에게 루호라는 자에 대해서 설명했다. 만해거사와 유 노대는 루호와 동료들의 움직임을 지켜보면서 고개를 끄덕였다.

“이상하군. 왜 불길이 퍼지는 천수호동 중심부로 이동하는 거지?”

문득 만해거사가 고개를 갸웃거리며 물었다. 아닌 게 아니라 지금 루호와 동료들은 불타는 천수호동을 빠져나가는 게 아니라 외려 중심부 쪽으로 이동하고 있었다.

“아!”

잠시 그 광경을 지켜보던 정유가 알겠다는 듯이 탄성을 질렀다. 만해거사와 유 노대가 그를 돌아보았다. 정유가 빠른 어조로 말했다.

“저 루호는 허 노야의 최측근 인물입니다. 심복이라고도 할 수 있고, 제자라고도 할 수 있을 겁니다. 그런 그가 지금 저리 서둘러서 중심부 쪽으로 이동하는 이유는…….”

“그곳에 허 노야라는 늙은이가 있겠군!”

유 노대가 크게 고개를 끄덕이며 말했다.

“그리고 위천옥이라는 애송이도 있겠고.”

만해거사가 호승심을 드러내 보이며 말했다.

“얼른 우리도 따라가죠. 천수호동이 워낙 복잡한 데다가 지금 저렇게 아비규환을 이루고 있으니, 조금만 늦어도 금세 종적을 잃어버리게 될 겁니다.”

정유는 그렇게 말하며 곧바로 신형을 날렸다. 유 노대와 만해거사도 서둘러 불타는 천수호동 안으로 뛰어 들어갔다.

밖에서 보는 천수호동과 안에서 겪는 천수호동은 열 배, 아니 백 배나 달랐다.

불타지 않은 가재도구를 챙겨 빠져나오려는 사람들, 어린아이를 부둥켜안고 울부짖는 아낙네들, 엄마 아빠를 잃어버린 채 홀로 주저앉아 울고 있는 꼬마들, 불에 타 죽은 시신들, 연기에 질식하여 죽은 자들, 사방으로 튀는 불똥들.

그야말로 지옥이 따로 없었다.

그 와중에 철목가 무사들로 보이는 자들도 있었고, 또 유령교 사람들로 보이는 이들도 있었다.

그들은 골목길을 무작정 배회하다가 서로 마주치는 순

간 칼부림을 벌였으며, 그들이 쏟아 내는 기합과 고함과 핏물은 이내 뜨거운 화마(火魔) 속에 파묻혀 갔다.

정유 일행은 지붕과 지붕을 옮겨 가며 루호 일당을 뒤쫓았다. 그들과의 간격은 대략 이십여 장, 지붕 다섯 개 정도의 거리를 두고 있었다.

'호오.'

루호를 지켜보던 정유의 눈빛이 반짝였다.

'사마외도의 인물이라고는 하지만 그래도 나름대로 인정과 의리가 있군. 이 다급한 와중에도 저렇게 사람들을 보살피는 걸 보면 말이지.'

불길이 빠르게 번지고 있는 상황이었다. 최대한 빠르게 자신의 상관을 만나러 가는 길이었다. 그럼에도 불구하고 루호는 몇 번이나 경공술을 멈추고 골목길에 버려진 사람들을 도와주었다.

부상을 당해 쓰러져 움직이지 못하는 자들도 안전한 곳으로 옮겨 주기도 하고, 홀로 엉엉 울고 있는 아이들의 지인(知人)을 찾아 몇 푼의 돈과 함께 건네주기도 했다. 또 불길에 휩싸인 채 금방이라도 무너지려는 집으로 뛰어 들어가 사람들을 구출하기도 했다.

루호의 옷은 재투성이가 되었고 얼굴 역시 시커멓게 재가 묻었지만, 그는 신경 쓰지 않고 자신이 할 수 있는 한 골목길의 사람들을 도와주면서 중심부 쪽으로 이동했다.

"기특한 녀석이네. 사마외도의 인물 중에 저런 녀석이 있다니……."

만해거사도 그 모습을 보고 감탄했다.

"흠. 허례와 허식, 체면과 가식으로 범벅이 되어 있는 명문 정파의 제자들과 정면으로 비교되는군그래."

"허허. 너무 그런 식으로 나눠서 말하지는 말게. 명문 정파 제자들 중에서도 저런 기특한 청년이 있을 수 있으니까 말이지."

유 노대의 말에 만해거사는 입을 삐죽이며 말했다.

"그런 청년을 보게 되면 똑같이 칭찬할 테니까 걱정 마시게."

두 사람이 대화를 나누는 동안 루호와 동료들은 어느덧 그들의 목적지에 당도한 모양이었다. 마치 지진이라도 일어난 듯 반쯤 붕괴된 건물이었다.

그들은 곧 사방으로 흩어져 건물 주변을 이리저리 뒤지기 시작했다. 그리고 얼마 지나지 않아 원하던 걸 발견했는지 곧장 방향을 바꿔 남쪽으로 이동하기 시작했다.

그들이 남쪽으로 자취를 감춘 지 얼마 되지 않아, 그 건물을 향해 표표히 내려서는 세 명이 있었다. 바로 정유와 만해거사, 그리고 유 노대였다.

"왜 저 녀석들의 뒤를 안 쫓는데?"

만해거사가 초조한 듯 물었다. 반면 정유는 건물 안쪽

으로 발을 디뎌 놓으며 차분하게 대답했다.

"대충 어디로 가는지 알 것 같거든요."

"어디로 가는데?"

정유는 건물 곳곳을 둘러보며 대답했다.

"그야 허 노야와 위천옥이 먼저 간 곳이겠죠."

"그게 어딘데?"

"아! 역시……."

한순간, 건물 안쪽을 돌아다니던 정유의 발길이 멈췄다.

"왜 대답을 하지 않고…… 아!"

"이런……."

동시에 만해거사와 유 노대도 걸음을 멈추고 바닥을 내려다보았다.

그들이 걸음을 멈춘 자리, 아마도 이 반쯤 무너진 건물의 대청 정도로 보이는 그곳에 그들 세 명이 익히 알고 있는 한 노인의 시신이 아무렇게나 나뒹굴고 있었다.

내공에 관한 한 천하제일이라고 스스로 자부했던, 철목가의 이인자이자 무림의 절대고수 중 한 명이었던 금강천군. 바로 그가 칠공(七孔)에 피를 쏟은 채 쓰러져 있었다.

만해거사와 유 노대, 그리고 정유의 얼굴이 심각하게 굳어지기 시작했다.

8장.

철벽권강(鐵壁拳罡)

강만리는 이를 악물었다.
내공은 강만리가 더 높을 수도 있었다.
하지만 내공을 어떻게 운용하느냐 하는 부분에서
정극신과는 현격한 차이가 났다.

1. 멸화군(滅火軍)

"불입니다!"

깊게 잠이 든 학여춘을 깨우는 다급한 목소리였다.

"나리! 불이 났습니다, 나리!"

학여춘은 "끄응." 하며 자리에서 일어났다.

"무슨 일이래요?"

곁에서 자고 있던 늙은 마누라가 잠결에 물었다.

"아닐세. 임자는 계속 자게."

학여춘은 마누라를 다독인 후 옷을 갈아입고 처소 밖으로 나왔다.

앞마당에는 이날 밤 당직을 맡은 포쾌 한 명이 소피 마려운 자세로 발을 동동 구르며 서 있었다. 포쾌는 학여춘을 보자마자 데구루루 구르듯 달려와 말했다.

"불이, 엄청난 불이 났습니다. 이대로 가만 놔두면 성도부 전역을 모두 불태워 버릴 겁니다!"

"진정하거라."

성도부의 치안 책임을 맡은 추관 학여춘은 아직도 잠에서 덜 깬 얼굴로 말했다.

"그렇게 빨리 말하니까 하나도 알아듣지 못하겠구나. 조금 더 차분하게, 무슨 일이 벌어졌는지 아뢰도록 하라."

포쾌는 몇 번이나 호흡을 가다듬으며 진정하려 했다. 그리고는 사뭇 떨리는 목소리로 말했다.

"불이 났습니다."

학여춘의 눈가에 긴장의 빛이 어렸지만 그는 침착한 표정을 잃지 않은 채 물었다.

"그래. 어디에서 불이 났느냐?"

"천수호동에서 큰불이 났습니다."

"큰불이라…… 언제 났으며 또 현재 어떻게 진행되는 중이냐?"

"약 반각 전에 천수호동 북쪽 외곽 지역에서 엄청난 폭발이 있었다고 합니다. 그 폭발로 화재가 발발했으며 현재 북풍을 타고 천수호동 전체에 불이 번지는 중이라고 합니다."

"흠."

학여춘은 턱수염을 매만졌다. 잠은 사라진 지 오래였다. 밤바람이 차가운지 등골이 오싹한 가운데 식은땀이 맺혔다.

'천수호동이라…….'

천수호동은 빈민가 밀집 지역으로 최소한 수천 명에서 많게는 수만 명까지 모여 살고 있는 동네였다. 그곳에 걷잡을 수 없이 불이 번진다면 엄청난 인명 피해와 재산 손실이 발생할 게 명약관화(明若觀火)였다.

그나마 다행인 건 천수호동이 성도부 남쪽 지역에 위치해 있다는 사실이었고, 그로 인해서 성도부 전체가 화마에 휩싸이지는 않을 거라는 점이었다.

잠시 생각하던 학여춘은 빠르게 대책을 지시했다.

"멸화군(滅火軍)을 총동원하여 천수호동으로 보내고, 성도부 전 지역의 의용금화대(義勇禁火隊) 십이대주(十二隊主)들에게도 연락을 취해 그곳으로 보내도록."

"알겠습니다."

"또한 화재를 일으킨 자를 반드시 색출하여 관아로 압송할 수 있도록 하라."

"그리하겠습니다!"

지시를 받은 포쾌가 허둥지둥 관사를 빠져나갔다.

멸화군은 관아에 소속돼 불을 끄는 일을 하는 이들을

가리켰다. 원래 금화군(禁火軍)이라고 불렸는데 의용금화대와 구별하기 위해 따로 멸화군이라는 칭호를 사용했다.

의용금화대는 말 그대로 민간 소방대를 뜻했다. 평소에는 자신들의 직업에 충실하다가 자신들의 거주 지역에 불이 났을 경우 멸화군이 올 때까지 불을 끄는 작업을 하는 이들로, 성도부에는 모두 열두 개의 조직이 만들어져 있었다.

이 시대의 법에 따르자면 불을 일으킨 자들에 대한 형법이 매우 엄격했다.

실수로 불을 일으킨 자는 곤장 오십 대, 일부러 방화한 자는 곤장 백 대의 형벌이 있었으며, 거기에다가 인명 피해를 입히면 다시 곤장 백 대, 관가나 민가를 태우면 또 곤장 백 대의 형을 추가했다.

일반적으로 곤장 열 대만 맞아도 엉덩이 피부가 찢어지고 살이 뭉개지며 피범벅이 되는데, 오십 대 이상을 맞는다는 건 곧 목숨을 잃을 수도 있다는 의미였다.

그뿐이 아니었다.

관이나 민가가 소실되고 인명 피해가 상당한 경우에는 그 관의 책임자들도 문책을 당한다. 봉록이 깎이거나 한직으로 밀려나거나 좌천되거나 심지어는 아예 관직을 삭탈당하는 경우도 종종 있었다.

뒷짐을 진 채 앞마당을 서성이던 학여춘은 누가 그런

엄청난 범죄를 저질렀는지 생각하다가 결국 크게 한숨을 쉬며 고개를 설레설레 흔들었다.

"빌어먹을 무림인들."

당연히 그럴 것이다.

천지가 진동하는 폭음이 있었다면 폭약이 동원되었다는 뜻이었다. 천수호동 사람들은 폭죽을 살 돈도 없는 자들이었으니, 천근 화약은 꿈에도 꿀 수 없었다.

그렇다고 돈 많은 상인이나 고관대작이 사용할 리도 없었다. 피에 굶주린 살인마나 변태, 혹은 미치지 않고서야 천수호동이 불타는 광경을 지켜보며 술을 마시거나 시를 읊지는 않을 테니까.

그러니 남은 건 무림인이었다. 그들이라면 피에 굶주리지도 않고 변태가 아니더라도, 미치지 않더라도 얼마든지 사람을 죽이고 건물을 불태우고 무너뜨릴 수 있었다.

불과 한 달 전에도 무적가 무사들이 그런 행동을 벌이지 않았던가.

분명 이번에도 무림인들 짓일 게 분명했다. 그리고 어쩌면 그 무림인들 속에 자신이 아끼고 위하는 강만리가 속해있을 수도 있었다.

이제는 포두보다는 무림인이라는 단어가 더 잘 어울리는 사람이 된 강만리.

"젠장."

학어춘은 투덜거리다가 크게 소리를 질렀다.

"게 아무도 없느냐? 모든 관원들을 깨우도록 하라!"

* * *

"예상은 했지만……."

정유는 심각한 목소리로 중얼거렸다.

"막상 이렇게 직접 확인하고 나니 정말 무섭다는 생각이 드네요. 약관도 채 되지 않았다고 했죠?"

"그러니까 말일세. 오한이 느껴지는군그래. 스물도 채 안 되는 애송이가 백전노장 중의 노장인 금강천존을 저리 만들다니 말일세."

"칠공에 피를 뿌리고 죽은 모습을 보건대 아무래도 내가중수법(內家重手法)에 당한 모양 같더군. 어쩌면 금강천존이 자랑하는 내공 싸움에서 패한 것인지도 몰라."

유 노대와 만해거사는 금강천존의 시신을 보고 느낀 점에 대해서 의견을 나눴다.

정유는 가만히 그들의 대화를 들으면서 맹주 정문하의 지시를 떠올렸다.

–암행(暗行) 도중에 천맹에 도움이 될 것 같은 자들은 삼고초려(三顧草廬)를 해서라도 모시고, 위험이 될 것 같

은 자들은 반드시 그 싹을 자르도록 하게.

정문하의 지시에 따르자면 위천옥은 태극천맹에 위험이 될 자가 분명했다. 그것도 태극천맹의 근간까지 뒤흔들 정도로 엄청난 위협이 될 인물이었다.

그리고 태극천맹 맹주의 명을 받들어 반드시 그 싹을 잘라야 하는 자이기도 했다.

'과연 내가 그를 제거할 수 있을까?'

정유는 입술을 깨물었다.

가슴이 두근거렸다. 호흡이 가빠 왔다. 문득 강만리가 했던 말이 떠올랐다.

—절대로 위천옥과 맞서려고 하지 마.

몇 번이나 경고했던 이야기였다. 그리고 정유는 강만리의 그 경고를 절실하게 깨닫고 있었다.

"음? 저자들이 맞지?"

앞서 달려가던 만해거사가 손으로 한 방향을 가리키며 말했다. 정유는 그제야 상념에서 깨어나 정신을 차리고 전면을 주시했다.

지금 그들은 그 반쯤 무너진 건물에서 벗어나 루호 일행이 사라진 남쪽으로 내달리던 중이었다.

성도부의 밤거리는 여전히 어두웠다.

화평장에서 천수호동으로 향할 때는 인적 없고 고요하여 사람 살지 않는 거리처럼 느껴졌지만 지금은 달랐다. 천수호동을 빠져나와 남쪽으로 내달리는 이들의 수가 적지 않았다. 그들은 전력을 다해서 일직선으로 거리를 따라 질주했다.

정유는 예리한 눈빛으로 만해거사가 가리킨 방향을 주시하다가 고개를 저었다.

"아뇨. 그들도 철목가 사람들입니다."

"칫, 그래?"

만해거사는 투덜거리면서 다시 지붕을 밟고 경공술을 펼쳤다.

지금 거리를 질주하는 대부분의 사람은 천수호동을 포위했던 철목가 무사들이었다. 천수호동에 불이 난 후 유령교 사람들과 싸우다가 패퇴한 그들은 자신들의 본진으로 후퇴하고 있는 중이었다.

정유 일행은 그들은 아랑곳하지 않은 채 오로지 지붕과 지붕을 뛰어넘으며 밤하늘을 날았다.

그러던 어느 한순간이었다.

"저기 있습니다."

정유가 말했다.

정유의 시야에 밤거리를 질주하는 한 무리의 신형들이

들어왔다. 정유들보다 조금 일찍 무너진 건물을 떠났던 바로 그 루호 일행이었다.

루호 일행이 생각보다 멀리 가지 못한 건 당연한 일이었다. 그들은 밤거리를 내달리다가 멈춰 서서 철목가 무사들이 있는지 주위를 확인하고는 다시 그들이 없는 길을 따라 질주하기를 반복하고 있었다.

"저렇게 해서 언제 찾으려고."

"그걸 왜 우리가 걱정하는데?"

"그래도 얼른 보고 싶으니까."

"누구, 허 노야?"

"아니, 위천옥이라는 괴물 말일세. 아이고, 생각만 해도 두려워지는데?"

"너무 가까이 다가가지 말도록 하세. 괜히 그들과 싸울 일이 없도록 하자고."

"허허, 자네도 잔뜩 겁먹은 모양이로군."

"겁이라니. 단지 쓸데없는 일이 생기지 않도록 조심하자는 걸세. 어쨌거나 그들 또한 우리처럼 철목가를 적으로 둔 자들이니까."

"허허, 그야 그렇지. 그러자고. 괜한 일을 벌일 필요가 없기는 하지."

두 노인은 여전히 경공술을 펼치며 두런두런 대화를 나눴다. 그 뒤를 따르던 정유가 불쑥 입을 열었다.

"하지만 아쉽게도 괜한 일을 벌일 수밖에 없을 것 같습니다."

"응? 왜?"

두 노인이 정유를 돌아보았다. 정유는 가볍게 한숨을 쉬며 가리켰다.

"저들이 달려가는 방향, 그곳에 정극신과 철목가 정예들이 머무는 객잔이 있거든요."

두 노인의 얼굴이 살짝 일그러지는 가운데 정유의 목소리가 이어졌다.

"그리고 그곳에는 우리 형제들이 있으니까요."

그의 말이 끝나는 바로 그 순간이었다.

콰앙!

멀리서 폭음이 들려왔다. 사람들의 시선이 일제히 그곳으로 쏠렸다. 동시에 밤하늘 저편에서 거대한 불길이 일었다. 바로 정극신 일행이 묵고 있는 객잔이 있는 방향이었다.

"드디어 시작했나 보군그래."

유 노대가 불길을 바라보며 중얼거렸다. 정유의 머리가 빠르게 돌아갔다.

'이곳에서 객잔까지는 일각가량 걸릴 터, 그 괴물이 당도하기 전에 강 형님들이 일을…… 일을 끝내고 도주할 수 있을까?'

정유는 입술을 깨물었다. 부친이 살해당하는 걸 두고 일이라고 표현하는 자신이 모멸스럽기까지 했다.

"뭐 하나? 빨리 따라 가세."

만해거사가 그의 어깨를 툭 쳤다. 정유는 퍼뜩 정신을 차리며 말했다.

"네. 빨리 따라붙죠."

세 사람은 다시 경공술을 펼쳤다.

2. 접전(接戰)

"오호라! 네놈이었구나!"

정극신이 소리치며 벼락처럼 두 손을 뻗었다. 그의 두 손과 담우천의 검이 허공에서 맞부딪쳤고, 믿을 수 없게도 콰앙! 하는 폭발음이 있었다.

한참 싸움에 몰두하던 철목친위와 장예추, 화군악조차 움찔거릴 정도의 굉음이었다.

담우천이 허공에서 표표히 날아내렸다. 담우천은 무심한 눈빛으로 정극신을 바라보았다. 정극신의 한 발이 객청 안쪽으로 밀려 들어가 있었지만 크게 충격을 입은 것 같지는 않았다.

담우천은 그의 팔을 바라보며 입을 열었다.

"반탄강기(反彈罡氣)를 두르고 있었군."

아닌 게 아니라 담우천의 검은 정극신의 팔과 부딪치기 직전, 그의 팔에서 약 두 치 다섯 푼[약 7cm] 정도 떨어진 공간 위에서 엄청난 반탄력을 받고 튕겨 나갔던 것이다.

귀청이 떨어져 나갈 정도의 굉음은 팔과 검이 직접적으로 부딪쳐서 일어난 게 아니었다.

사실 반탄강기는 호신강기와 비슷한 개념이지만 그보다 한 수 위의 무공이기도 했다.

호신강기는 강기를 몸에 둘러서 적의 공격을 막는 용도로 사용한다면 반탄강기는 몸에 두른 강기를 이용하여 적의 공격을 튕겨 내, 외려 상대를 공격하는 역습의 효능도 함께 지니고 있었다.

만약 담우천이 제대로 검을 제어하지 못했다면 정극신의 반탄강기로 인해 튕겨 난 검이 그 기세 그대로 담우천을 찌르는 불상사가 일어날 수도 있었다.

"노옴."

반면 담우천을 노려보는 정극신의 눈에서 불똥이 튀었다.

"네가 바로 비룡맹군을 암살한 놈이렷다!"

놀랍게도 정극신은 담우천이 내지른 일검을 본 것만으로 그가 비룡맹군을 암살한 사실을 알아차렸다.

담우천은 아무 말 없이 호흡을 가다듬었다.

'어쨌거나 처음으로 내 일원검을 버틴 자다.'

확실히 정극신은 강했다. 지금껏 그 어떤 자도 담우천의 일원검을 상대로 버티지 못했지만 정극신은 달랐다. 비록 한 걸음 뒤로 밀리기는 했지만 여전히 그의 두 팔은 완강하고 단단했다.

담우천은 빠르게 머리를 굴렸다.

정극신을 해치우기 위해서는 우선 저 반탄강기를 뚫어야 했다. 하지만 반탄강기를 박살 내려면 담우천의 내공만으로는 힘들었다.

'강 아우의 도움이 필요하다.'

담우천은 호흡을 가다듬으며 강만리에게 전음을 날렸다.

-전력을 다해 정극신에게 한 번만 장력을 발출해 주게.

강만리의 대답은 들려오지 않았다. 아쉽게도 아직 강만리는 전음술을 펼칠 줄 몰랐으니까.

담우천은 개의치 않고 다시 기를 끌어올리며 자세를 취했다. 그 기세를 느꼈는지, 정극신도 감히 경시하지 못하고 자세를 낮추며 손을 벌렸다.

"그래, 와라."

보이지 않는 두툼한 강기가 그의 양팔을 휘감았다.

그 보이지 않는 강기는 정극신이 맨손으로 쇠를 구부리고 벽을 부수며 천근 바위를 박살 내게 만드는 강기였다.

강호 사람들이 그 위력에 감탄하여 철벽권강(鐵壁拳

罡)이라고 부르는 강기가 정극신의 두 손과 팔에 착 달라 붙었다.

담우천도 피하지 않았다.

그는 검을 앞으로 내밀며 호흡을 가다듬었다. 그의 검 끝이 희미하게 회전을 일으키기 시작했다.

저 유주 땅, 볼품없는 객잔의 뚱보 주인장에게서 일말의 영감을 얻어 익히게 된 검공이었다. 저 무적가 가주를 죽이고 제갈천상의 팔을 자르고 비룡맹군의 심장을 꿰뚫은 바로 그 검법이었다.

서로를 겨누고 있는 두 사람 사이에서 회오리가 일었다. 각자 내뿜는 기세와 기세가 맞부딪치면서 이는 회오리였다.

흙먼지가 회오리를 따라 허공으로 솟구쳤다. 살짝 시야가 가려졌다. 상대방의 모습이 회오리 속의 흙먼지로 인해 보이지 않게 되었다.

바로 그때였다.

"가주!"

"누가 감히 가주를 암살하려 드느냐!"

거친 고함과 함성을 터뜨리며 일군(一群)의 무사들이 우르르 월동문 안으로 뛰어 들어왔다. 뒤늦게 정극신의 별채에서 들린 굉음에 놀란 무사들이 앞다퉈 달려온 것이다.

강만리는 담우천의 전음을 받기 전부터 한껏 내공을 끌어올리고 있었다. 장강의 물결처럼 도도하고 압도적인 내공이 고스란히 그의 두 손바닥으로 모여들었다.

그의 두 손이 희미한 황금빛으로 물들기 시작했다. 수년 전 그 장면을 본 적이 깜짝 놀라며 "금강류하(金剛流河)!"라고 소리친 걸 강만리는 결코 잊지 않았다.

강만리는 자신의 장력(掌力)이 생각보다 훨씬 더 강력한 위력을 지니고 있다는 것도 알고 있었다. 심지어 무적가 장로의 가슴을 박살 낼 정도의 위력!

'이 정도 거리라면 다른 무공보다 장풍(掌風)이 제일 나을 거다.'

강만리는 그렇게 생각하며 정극신의 가슴을 향해 언제든지 장력을 발출할 준비를 하고 있었다. 하지만 지금은 철목친위와 화군악, 장예추에 가려서, 그리고 담우천의 등에 가려서 정극신을 직격할 수가 없었다.

강만리는 살금살금 발을 움직였다. 정극신을 제대로 볼 수 있는 곳으로 자리를 이동하려는 것이었다.

그때였다.

"가주!"

"누가 감히 가주를 암살하려 드느냐!"

거친 고함과 함성을 터뜨리며 철목가 무사들이 우르르 월동문 안으로 뛰어 들어왔다.

강만리는 깜짝 놀라 몸을 돌렸다. 무사들이 뛰어든 월동문과 지금 강만리가 이동하려는 곳과는 불과 일 장여 거리. 크게 발을 내디디며 칼을 휘두르면 충분히 닿을 수도 있는 거리였다.

강만리는 반사적으로, 본능적으로 그 무사들을 향해 쌍장을 휘갈겼다.

번쩍!

그의 쌍장이 황금빛으로 물든 채 광풍노도(狂風怒濤)의 장력이 봇물 터지듯 뿜어져 나갔다.

오로지 정면을 바라보며 뛰어들던 무사들은 측면에서 쏘아지는 거대한 장력에 미처 반응하지 못한 채 추풍낙엽처럼 쓸려 나갔다.

무사들의 뼈가 부러지고 팔이 찢어지고 다리가 박살 났다. 그들이 내지른 요란한 비명이 별채 전체를 들썩거리게 만들었다.

"아악!"

"으아악!"

그 비명 소리 때문이었을까, 아니면 시야에 언뜻 들어온 황금빛 물결 때문이었을까.

담우천과 마주하던 정극신의 시선이 한순간 강만리에게로 옮겨 갔다. 그건 아주 찰나적인 순간이었고 동공이 살짝 흔들리는 듯한 미세한 움직임이었지만, 담우천은 결코 그 한순간의 빈틈을 놓치지 않았다.

그들 정도 되는 실력의 소유자들이라면 찰나의 순간에 십여 번이나 연거푸 검을 찌르고 또 주먹질을 날릴 수가 있었다.

하지만 담우천은 오직 한 번, 정심이 실린 일검을 날렸다. 그 일검은 공간을 반으로 가르면서 정극신의 목젖을 찔렀다.

'이런!'

정극신은 아차 싶었다.

상대는 자신과 버금가는 고수였다. 굳이 여러 번 손을 섞지 않아도 충분히 알 수 있었다. 그런 상대를 코앞에 두고 한눈을 팔다니, 실수도 이런 실수가 없었다.

"어딜 감히!"

그러나 정극신의 입을 통해서 터져 나오는 고함은 역시 오만하고 당당했다. 더불어 그는 철벽권강으로 휘감긴 팔을 들어 담우천의 일원검을 막았다.

순간 쩌엉! 하는 울림과 함께 그의 반탄강기가 찢어지는 듯한 느낌이 들었다. 정극신의 얼굴이 순간적으로 일그러졌다. 반응이 늦은 탓에 미처 전력을 다해 상대의 일격을 막지 못한 것이다.

찢어진 강기 사이로 그의 팔이 온전하게 드러났다. 담우천의 검은 일직선으로 팔을 꿰뚫었다.

강기를 찢고 팔을 꿰뚫고도 여전히 그의 검은 위력이 넘쳐흘렀다. 팔이 꿰뚫린 자리는 이내 동그랗게 구멍이 났고 살점과 근육, 혈관들이 송두리째 망가졌다. 살점이 떨어지고 피가 분수처럼 흘러나왔다.

그러고도 담우천의 검은 멈추지 않았다. 처음 목표한 바대로 그의 검은 정극신의 목젖을 향해 맹렬하게 쑤셔 갔다.

정극신도 만만치 않았다. 그는 이를 악물며 내공을 끌어올렸다. 그리고 구멍이 난 팔에 모든 내공을 쏟아부었다. 순식간에 구멍이 닫혔다.

담우천의 검은 정극신의 팔을 꿰뚫은 채 그대로 멈췄다. 마치 나무에 꽉 낀 것처럼 빼도 박지도 못하는 상황이 되었다. 그러자 이번에는 정극신의 역습이 시작되었다.

팔 하나를 잃었지만 대신 담우천의 검을 무용지물로 만든 게다. 정극신은 그 순간을 놓치지 않았다. 왼손으로 검날을 쥐어 부러뜨리는 것과 동시에 그대로 손을 뻗어 담우천의 가슴에 일장을 날렸다.

담우천은 빠르게 둔형장신보의 보법을 밟으며 자리를 이동했다. 동시에 부러진 검으로 무극섬사(無極閃射)의 쾌검을 날려 정극신을 공격했다.

"무극섬사?"

정극신은 그 쾌검을 알아보았다.

"알고 보니 사선행자 나부랭이였더냐?"

그는 소리치며 가볍게 몸을 틀었다. 단순한 동작이었지만 무극섬사의 쾌검을 파훼하는 최고의 움직임이었다.

"무적가 녀석들의 사주더냐?"

정극신은 계속해서 소리치며 담우천과의 거리를 좁혔다. 그는 오로지 한쪽 팔을 휘둘러 담우천의 옆구리를 후려치고 복부를 찌르고 얼굴을 가격했다.

그가 주먹을 휘두를 때마다 뒤늦게 우웅! 하는 권풍(拳風)이 일어나 주변을 휘감았다. 소리보다도 빠른 주먹이 쉴 새 없이 담우천을 공격했다. 정극신의 주변에 폭풍이 일고 있었다.

하지만 담우천은 단 한 대도 맞지 않았다. 그의 둔형장신보의 움직임은 실로 기기묘묘해서 오른쪽으로 움직인다 싶은 순간 왼쪽으로 이동해 있었고, 허리를 숙인다 싶은 순간 어느새 뒤로 훌쩍 물러나 있었다.

3. 네놈에게 진 건 아니다

"도망치는 데 일가견이 있는 쥐새끼였구나!"

정극신은 크게 노하여 소리치며 손가락을 뻗었다. 번

쩍! 하는 섬광과 더불어 날카로운 지력(指力)이 발출되었다. 담우천은 어깨를 틀었다.

콰!

그의 어깨를 스치듯 지나간 지력은 십여 장 밖까지 단숨에 날아가 담장에 구멍을 냈다.

그게 시작이었다.

정극신은 쉴 새 없이 손가락을 뻗어 담우천을 가리켰다. 손가락 끝에서는 새하얀 섬광이 번뜩였고 곧 이어 콰앙! 하는 소리와 함께 벽이 부서지거나 지면이 움푹 파이는 광경이 연출되었다.

실로 놀라운 광경이었다.

지풍이나 장력 같은 기공(氣功)들은 그 엄청난 위력에 비례하여 상당한 내공을 필요로 한다.

위력이 강하면 강할수록 장강처럼 장대한 내력을 소모하게 되는데, 지금 정극신은 그 파괴력 넘치는 지풍을 쉴 새 없이 쏟아부으면서도 전혀 내력이 부족한 기색을 보이지 않았다.

"어디, 끝까지 피해 봐라!"

정극신은 껄껄 웃으며 지풍을 날렸다. 담우천은 쉴 새 없이 보법을 밟으며 그의 지풍을 피하고는 있었지만 시간이 흐르면서 점점 더 수세에 몰리고 있었다.

초절정 고수들의 싸움은 선기를 잡느냐 못 잡느냐에 따

라 갈리는 경우가 대부분이었다. 지금 정극신과 담우천의 싸움도 마찬가지였다.

처음에는 정극신이 한눈을 팔면서 담우천이 선기를 잡을 수 있었다. 그로 인해 정극신은 담우천의 일검에 하마터면 목숨을 잃을 뻔했다.

그러나 정극신은 제 구멍 뚫린 팔뚝으로 담우천의 검을 봉쇄했으며 또한 담우천이 주춤거리게 만들어, 다시 선기를 빼앗았다.

정극신은 힘겹게 잡은 기회를 결코 놓치지 않았다. 그는 더욱더 빠르고 강렬하게, 자신의 모든 내공이 소진될 때까지 쉴 새 없이 지풍을 날렸다.

이리 움직이고 저리 피하던 담우천의 표정이 한순간 살짝 굳어졌다.

생각보다 정극신의 내공이 쉽게 소진되지 않았다. 마치 삼화취정의 단계에 올라 내공이 샘솟듯 끊이지 않고 원활하게 이어지는 것처럼 정극신의 지풍은 쉬지 않고 담우천을 괴롭히고 있었다.

'잘못 생각했다.'

담우천은 자책했다.

상대의 내력이 떨어질 때까지 기다렸다가 역습을 취하겠다는 계획은 수포로 돌아갔다. 차라리 부러진 검으로 계속해서 공격을 감행하는 것이 훨씬 더 나은 결과로 이어졌을 것이다.

'하지만 아직은 버틸 만하다.'

담우천은 입술을 깨물며 둔형장신보를 펼쳤다. 정극신의 지풍이 그의 소맷자락을 뚫고 지나갔다. 비록 옷이기는 했지만 처음으로, 담우천에게 피해를 준 일격이었다.

'역시 철목가주다.'

강만리는 다시 내공을 끌어올리며 생각했다.

'저렇게 지풍을 자유자재로 발출하다니, 역시 나와는 다르다. 아직 많이 부족하다, 나는.'

강만리는 이를 악물었다.

내공은 강만리가 더 높을 수도 있었다. 하지만 내공을 어떻게 운용하느냐 하는 부분에서 정극신과는 현격한 차이가 났다.

내공이 십(十)이라고 할 때 강만리는 그걸 나눠 사용하는 방법이 아직 서툴렀다.

조금 전 월동문 안으로 뛰어드는 무사들을 향해 장력을 날렸을 때 그는 육, 칠에 해당하는 내력을 사용했다.

그런 바람에 재차 똑같은 장력을 발출하기 위해서는 이, 삼의 내력이 부족했고 그 바람에 내공이 차오르기를 기다려야만 했다.

만약 적이 그 틈을 노리고 공격을 퍼붓는다면 강만리는

꼼짝없이 당할 수밖에 없게 되는 거다.

반면 정극신은 달랐다.

그는 일(一)의 내력을 반으로 쪼개서 지풍을 날렸다. 위력은 강만리의 장력에 비해 훨씬 떨어지지만 그래도 내력을 쪼갠 덕분에 쉬지 않고 계속해서 지풍을 발출할 수 있었다.

그건 다시 말해서 정극신이 내공을 소모하는 시간과 소모된 내공이 다시 차오르는 시간을 비슷하게 만들었기 때문이었다. 계속해서 내력이 원활하게 유지될 수 있도록 최적의 운용을 하고 있기 때문이었다.

강만리는 부족한 내력이 찰 때까지 내공을 끌어모으면서 주변 상황을 훑어보았다.

월동문으로 밀려든 무사들은 강만리의 장력에 의해 모두 쓰러졌다. 모든 이들이 죽거나 크게 다쳐서 더는 신경 쓰지 않아도 괜찮았다. 강만리가 칠 할의 내공을 한꺼번에 쏟아부은 보람이 있었다.

화군악과 장예추는 씩씩하게 싸우고 있었다.

일곱 명의 철목친위는 하나같이 절정의 고수들이었다. 게다가 그들의 합격술은 가히 천하무적이라고 해도 과언이 아닐 정도였다.

하지만 철목친위는 화군악과 장예추를 어찌하지는 못하고 있었다. 아니, 외려 화군악의 검이 그들의 협공을 비집고 파고들 때마다 장예추의 칼이 벼락같은 기세로 사위를 가를 때마다 신음을 내고 피를 흘리는 건 철목친위들이었다.

시간이 흐를수록 철목친위들의 얼굴에는 불안과 초조, 당황과 불신(不信)의 표정이 그려졌다. 천하의 철목친위가 겨우 두 청년에게 밀린다는 게 도저히 믿을 수 없다는 얼굴이었다.

그럼에도 불구하고 강만리는 초조했다.

'최대한 빨리 끝내야 한다.'

아직 철목가의 세 호법도 보이지 않았다. 또 언제 원군이 들이닥칠지 몰랐다. 이 상황에서 시간을 끌면 강만리 측만 불리해진다. 그러니 반드시 이번 일격으로 승부를 결정지어야 했다.

강만리의 소맷자락이 부풀어 올랐다. 이번에는 육이나 칠이 아닌 십의 내공, 전력을 끌어모을 작정이었다.

하지만 내공이 생각보다 늦게 차오르는 것 같았다. 초조하고 다급한 나머지 숨이 가빠 왔다.

강만리는 냉정을 잃지 않으려고 했다. 호흡이 길고 면면(綿綿)하게 이어질 수 있도록 노력했다. 단전에서 샘솟은 내공이 기맥을 타고 두 손에 모이는 광경을 머릿속으로 그렸다.

일각(一刻)이 여삼추(如三秋) 같은 시간이 흘렀다. 강만리의 두 손에 황금빛 광채가 미미하게 스며들었다. 드디어 십성(十成)의 내공이 두 손에 모였다.

강만리는 전면을 주시했다. 화군악이 이러저리 날뛰고 있는 너머로 담우천의 등이 보였다. 정극신은 담우천에 가려져 있었다.

그러나 강만리는 망설이지 않았다. 그는 정신을 집중했다. 천조감응진력을 최대한으로 이끌어 올렸다. 그리하여 자신으로부터 정극신에 이르는 단 하나의 길을 찾아냈고, 그 길을 따라 두 팔을 휘둘렀다.

그의 손에서 천지를 무너뜨릴 위력이 담긴 장력이 거대한 해일처럼 뿜어져 나갔다.

등 뒤로부터 덮쳐드는 가공할 기세를 느낀 듯, 화군악이 반사적으로 허공 높이 몸을 띄웠다. 강만리의 장력이 화군악의 신발 바닥을 스치고 폭사되었다.

담우천은 미처 그 장력을 눈치채지 못한 듯 곧장 정극신을 향해 덤벼들었다. 그의 부러진 검이 허공을 가르며 정극신의 가슴을 찔렀다.

"어딜!"

정극신이 호탕하게 외치며 팔을 들어 검을 막았다. 아까와는 달리, 충분히 준비된 철벽권강이 완벽하게 그 효능을 발휘했다.

쩌엉! 하는 소리와 함께 담우천의 검이 산산조각이 났

다. 철벽권강의 반탄을 견디지 못하고 박살 난 것이다.

하지만 다음 순간, 담우천은 정극신을 향해 절을 하듯 허리를 깊게 숙였다. 그 위로 강만리의 장력이 벼락처럼 쏟아져 들어갔다.

"감히 내게 검을 들이……."

담우천의 검이 산산조각이 나는 걸 보면서 껄껄 웃으려던 정극신의 얼굴이 크게 일그러졌다. 감당할 수 없을 정도로 거대하고 강렬한 장력이 바로 코앞까지 들이닥친 것이다.

'아니, 언제? 누가?'

발출한 장력인 건가. 또 어떻게 정극신의 이목을 속이고 예까지 날아든 것인가.

의문을 품을 새가 없었다. 그는 두 팔을 마구 휘두르며 강만리의 장력을 막았다.

콰아앙!

천지가 진동하는 폭음이 터졌다. 정극신의 두 팔을 에워싸고 있던 철벽권강이 박살 났다. 그 엄청난 충격은 견디지 못한 정극신이 뒤로 몇 걸음이나 물러나야했다.

쿵!

정극신의 등이 별채의 벽에 부딪쳤다.

담우천이 순식간에 거리를 좁히고 그의 품으로 파고들었다. 정극신은 본능적으로 주먹을 휘두르려 했다.

그러나 담우천이 빨랐다. 그는 손잡이 부근까지 부러진 검으로 정극신의 복부를 힘껏 찔렀다. 손잡이까지 복부 깊숙이 파고들었다.

담우천의 등을 내리치려던 정극신이 움찔거렸다. 그의 입이 쩍 벌어졌다.

"비, 비겁한…… 자식들."

정극신이 눈을 부라리며 말했다. 담우천은 말없이 손을 뻗어 그의 가슴을 눌렀다. 정극신의 심장은 쿠웅! 하는 듯한 충격과 함께 박동이 멈췄다.

심장이 멈춘 상태, 복부가 갈기갈기 찢어진 상태에서도 정극신은 여전히 담우천을 노려보며 말했다.

"결코…… 네, 네놈에게 진 건…… 아니다."

"상관없다."

담우천은 그제야 입을 열었다.

"내가 이긴 게 아니더라도 결국 죽는 건 그대이니까."

정극신은 그의 말을 듣지 못했다. 마지막 기력을 다 짜내어 말을 맺는 순간, 그의 머리가 끈이 끊어진 것처럼 툭, 하고 꺾어진 것이다.

담우천은 정극신으로부터 몸을 뗐다. 별채 벽에 기대어 있던 정극신이 천천히 앞으로 꼬꾸라졌다.

"가주!"

"가주!"

뒤늦게 정극신의 죽음을 확인한 철목친위가 미친 듯이 부르짖었다. 그들은 몸을 돌려 담우천에게로 덤벼들려고 했다.

화군악과 장예추는 그 틈을 놓치지 않고 검과 칼을 휘둘렀다. 허리가 끊어지고 다리가 잘려 나갔다. 철목친위들은 비명 대신 가주를 외쳤다.

"가주!"

"가주!"

담우천은 곧장 화군악과 장예추와 합류, 그들에게 맹공을 퍼부었다.

가뜩이나 불리한 상황에서 이성을 잃고 잔뜩 흥분한 철목친위들은 그 세 사람의 공격을 감당하지 못했다. 게다가 정극신이 죽었다는 충격에 철목친위들은 제대로 손발을 놀리지 못했다.

지금껏 버티고 싸웠던 것과는 달리 철목친위는 순식간에 목숨을 잃었다.

담우천은 그들이 바닥에 쓰러지기도 전에 빠르게 자리를 뜨며 말했다.

"퇴각하자."

화군악과 장예추도 그 뒤를 따라 몸을 날렸다.

강만리도 그들과 함께 몸을 돌려 도주하려 했지만 마음과는 달리 쉽게 발을 떼지 못했다. 단전의 모든 내공을 한꺼번에 분출한 후유증이었다.

적어도 반각 가량은 안정을 취하며 내력이 돌아오기를 기다려야 했다.

"잠깐만."

담우천이 다시 돌아와 그를 업었다.

"죄송합니다."

강만리가 미안해하자 담우천이 낮은 목소리로 말했다.

"무슨 소리. 이번 승리는 오로지 강 아우, 자네 덕분인데. 그런 소리 하지 말게."

담우천은 지면을 박찼다.

이내 그의 신형이 밤하늘 높이 솟구쳤다가 한 줄기 유성처럼 길게 뻗어 나갔다. 강만리를 업은 그의 신형은 조금 전 어둠 속으로 사라졌던 화군악과 장예추를 따라 어둠 깊숙한 곳으로 날아갔다.

"가주!"

별채에 숨어 있던 항조군이 뛰어나오며 부르짖었다.

여전히 객잔은 불길에 휩싸여 있었고, 아직도 가주의 죽음을 모르는 무사들은 불을 끄기 위해서, 임시 천막에 있던 부상자들을 구하기 위해서, 이리 뛰고 저리 뛰어다녔다.

9장.
소진(燒盡)

다시 항주로 돌아가려는 것이었다.
올 때도 그랬지만 갈 때는 더더욱 먼 길이 될 것이다.

1. 목숨을 나눈 형제

"다쳤어요?"

"무슨 일입니까?"

경공술을 발휘하여 객잔을 빠져나오는 가운데 화군악과 장예추가 담우천의 곁으로 다가와 물었다. 강만리가 업혀 있는 걸 보고 놀란 모양이었다.

강만리가 투덜거리듯 대꾸했다.

"기력이 없어."

"이런."

"아니, 기력이 없을 정도로 다 쏟아부은 겁니까?"

화군악과 장예추는 어이가 없다는 표정을 지었다. 강만

리는 당연하다는 듯이 말했다.

"그렇게 하지 않고서 어떻게 정극신을 죽일 수 있겠나?"

"으음."

화군악은 입을 다물었다.

맞는 말이다. 옳은 판단이었다. 정극신은 생각보다 훨씬 강했다. 담우천의 압도적인 승리는 상상에 불과했다.

강만리의 전력을 다한 일격이 없었더라면 아직도 저 별채에서 치열한 전투를 벌이고 있었을 것이다.

어느새 그들은 객잔을 벗어나 성도부 밤거리로 나왔다. 미리 빠져나와 기다리고 있던 양위가 그들에게로 달려왔다.

강만리는 체면을 생각해서 담우천의 등에서 내리려고 했지만 담우천이 완강하게 그를 붙잡았다.

담우천의 등에 업힌 강만리를 본 양위가 깜짝 놀라며 물었다.

"부상을 당하셨습니까?"

강만리는 쓴웃음을 지으며 말했다.

"조금 피곤할 따름이니 걱정하지 않아도 되오. 다른 이들은?"

"약간의 경상자가 있을 뿐, 대부분 무사합니다."

"다행이구려. 그럼 화평장으로 돌아갑니다."

"그런데 이곳에서 기다리는 동안 천수호동 쪽에서 이

곳으로 퇴각하는 철목가 무사들을 제법 볼 수 있었습니다. 그들과 부딪치면 괜히 시끄러워질 수 있으니 이쪽으로 우회해서 돌아가는 게 낫지 않을까 싶습니다."

"그들이 퇴각한다는 건 결국 금강천군이 패했다는 뜻이겠군. 그리고 허 노야 곁에 위천옥이 함께 있다는 의미가 되겠고."

"아무래도 그럴 가능성이 큽니다."

"알겠소. 그럼 우회하도록 합시다."

강만리의 말에 양위는 수하들과 함께 앞서 달리기 시작했다. 담우천과 화군악, 장예추는 조금 느긋하게 경공술을 펼치며 그들의 뒤를 따랐다.

"이제 괜찮아진 것 같습니다."

강만리가 다시 말했다.

"그리고 이 정도 속도라면 저도 충분히 따라갈 수 있습니다."

"아니네. 좀 더 업혀 있게."

담우천이 냉정하게 말했다. 강만리가 한숨을 쉬며 나직하게 소곤거렸다.

"정말 불편하다니까요. 부끄럽기도 하고요. 사람들이 어찌 보겠습니까?"

담우천은 여전히 냉정했다.

"다른 사람 눈치 볼 것 없네. 행여 뭐라 하는 사람이 있다면 내가 나설 테니까."

강만리는 입을 다물었다. 어떤 말로도 담우천의 마음을 돌릴 수가 없다는 걸 깨달은 것이다.

"보기 좋아요."

화군악이 키득거리며 말했다.

"또 언제 담 형님의 등에 업혀 보겠습니까? 그러니 편히 업혀 가세요, 장원까지. 아, 내가 먼저 가서 형수더러 나와 보라고 할까요?"

"또 까분다."

강만리는 눈살을 찌푸렸다.

"너무 흥분한 것 같다. 조금 진정하라니까."

아닌 게 아니라 화군악은 약간 흥분한 상태였다.

당연한 일이었다. 지금 그들은 다른 사람도 아닌 철목가 가주를 죽이고 돌아가는 길이었다. 고래고래 소리치며 펄쩍펄쩍 뛰어다니지 않는 것만 해도 다행이었다.

"알겠습니다, 형님."

화군악은 싱글거리며 다시 장예추 곁으로 날아갔다. 두 사람은 목소리를 낮춰 뭔가 소곤거리며 대화를 나눴다. 강만리가 그들을 바라보다가 불쑥 입을 열었다.

"저러니까 진짜 형제들 같네."

"형제들이지."

담우천이 말을 받았다.

"목숨을 나눈 형제. 외려 피를 나눈 형제들보다 더 각별한 사이일 수도 있겠지."

강만리는 가만히 담우천의 말을 음미했다.

목숨을 나눈 형제라. 울림이 좋았다. 강만리를 비롯한 무림오적에게 딱 어울리는 말이기도 했다.

'그렇군. 목숨을 나눈 형제란 말이지.'

강만리는 속으로 중얼거렸다.

* * *

"쉿."

유 노대가 주의를 주었다. 만해거사와 정유가 움찔하며 걸음을 멈췄다. 하마터면 그들이 서 있던 지붕의 기와가 미끄러져 떨어질 뻔했다.

그들은 유 노대의 시선을 따라 밤거리 저편으로 고개를 돌렸다. 그곳에는 그들이 쫓고 있었던 루호 일행과 또 다른 무리가 함께 있었다.

"허 노야로군요."

정유는 키가 작고 허리가 구부정한 노인을 한눈에 알아보았다.

노인 곁에는 예닐곱 명의 무리가 모여 있었는데, 그중 특출하게 눈에 띄는 자가 있었다. 스물도 채 되어 보이지 않는 소년이었다.

칠흑처럼 어두운 밤이었다. 거리도 삼십여 장 가량이나 떨어져 있었다. 아무리 만해거사와 유 노대, 정유의 무공이 대단하다고는 하지만 얼굴까지 확인하기에는 확실히 무리였다.

만해거사는 눈을 가늘게 뜬 채 말했다.

"저 애송이가 금강천존을 해치웠다 이거지?"

"목소리 낮추게나."

유 노대의 주의에 만해거사는 피식 웃었다.

"이 거리에서 이 정도 목소리를 들을 수 있다면 저 아이 앞에서 엎드려 절을 하겠네."

바로 그 순간이었다.

루호와 허 노야의 대화를 듣고 있던 소년이 갑자기 고개를 돌려 만해거사가 있는 곳을 쳐다보는 것이었다. 만해거사는 그야말로 심장이 쿵! 하고 내려앉는 듯한 충격을 느끼며 황급히 몸을 숨겼다.

"진짜 들은 건가?"

만해거사는 두근거리는 가슴을 진정시키며 중얼거렸다. 그와 마찬가지로 다급하게 지붕 위에 엎드린 유 노대가 혀를 찼다.

"조심하라고 했지."

"들킨 것 같습니까?"

정유도 납작 엎드린 채 물었다. 만해거사가 고개를 빼꼼히 내밀었다.

놀랍게도 소년이 손을 까닥거렸다. 마치 얼른 이리로 달려와 엎드려 절을 하라는 듯한 모습이었다. 만해거사는 이내 자라목이 되었다.

"안 되겠다. 아무래도 들킨 모양이다."

"그럼 어떻게 하지? 이대로 도망쳐야 하나?"

"쫓아오지 않을까? 우리가 저 괴물을 따돌릴 수 있을까?"

만해거사와 유 노대가 소곤거리며 상의하는 동안 정유는 앞으로 기어 나가 상황을 살폈다.

여전히 루호와 허 노야는 대화를 나누고 있었다. 대화라고 하기에는 허 노야가 일방적으로 훈계를 하는 듯한 모습이었다. 루호는 그저 고개를 푹 숙인 채 허 노야의 이야기를 듣고 있었다.

그 옆의 노인이나 다른 사람들도 허 노야의 이야기에 집중하고 있을 뿐, 이곳 지붕에 대해서는 아무도 신경 쓰지 않고 있었다.

오직 한 명, 위천옥으로 짐작되어지는 소년만이 이곳을 바라보며 싱글벙글 웃고 있었다.

가만히 그를 바라보던 정유가 한순간 움찔거렸다. 소년과 눈이 마주친 듯한 기분이 든 것이다. 소년은 손을 들어 까닥거렸다. 거기 있지 말고 이곳으로 오라는 시늉 같았다.

정유는 입술을 깨물었다. 소년은 몇 번 손을 까닥이더니, 이내 싫증이 난 것처럼 혹은 관심이 없어진 것처럼 어깨를 으쓱거리고는 고개를 돌렸다. 그리고 두 번 다시 정유 쪽으로 시선을 돌리지 않았다.

이윽고 훈계가 끝난 듯 허 노야는 몸을 돌려 소년에게 뭔가 이야기를 했고, 그들은 곧장 어둠 속으로 사라졌다.

"갔습니다."

정유가 중얼거렸다.

"응? 무슨 소리야, 그건?"

유 노대와 상의하던 만해거사가 깜짝 놀라며 정유 곁으로 다가왔다. 거리 저편에 아무도 없다는 걸 확인한 만해거사는 자리에서 벌떡 일어났다. 소년의 시선이 무서워서 여태 숨어 있었다는 게 부끄러웠던 모양이었다.

"어디로 갔나?"

유 노대가 물었다.

"철목가가 묵고 있는 객잔이 있는 방향입니다."

"역시…… 정 가주를 없앨 작정이로군."

"하지만 그곳에는 강 형님이 먼저 가 계십니다."

"어쩌면 강 장주, 정 가주, 그리고 저들, 이렇게 세 무리가 한자리에서 마주칠 수도 있겠군그래."

"설마 일이 그렇게까지 공교롭게 될 리는 없겠죠."

정유도 무릎을 털며 자리에서 일어났다. 그는 두 노인을 번갈아 바라보며 말을 이었다.

"저 아이가 우리의 존재를 알아차린 이상 아무래도 더는 뒤쫓으면 안 될 것 같습니다."

"흠, 그렇다고 해서 이대로 물러나는 것도 우습잖은가? 게다가 강 장주에게도 이들이 그곳으로 가고 있다는 연락을 해 줘야 할 테고."

"괜찮을 겁니다."

정유는 저 멀리, 아직도 꺼지지 않고 활활 타오르는 불길을 바라보며 중얼거렸다.

"일은…… 제대로 진행된 것 같으니까요."

2. 불길

바람의 방향이 바뀌었다.

남쪽으로 번지던 불길이 바람을 타고 다시 동쪽으로, 북쪽으로 세력을 넓히기 시작했다.

불을 끄기 위해 동원되었던 멸화군과 의용금화대는 계속해서 지역 주민들과 힘을 합쳐 불길을 잡으려 했지만 소용이 없었다. 바람을 탄 불길은 시간이 갈수록 거세졌고 더욱 많은 집과 건물을 집어삼켰다.

그들이 할 수 있는 일이라고는 고작 인명 피해를 최소화하는 것과 고관대작이 사는 성시 중심부까지 불길이 번지지 않도록 하는 일이었다.

"이럴 수가……."

관복을 차려입고 현장으로 나선 학여춘은 그 거대한 불기둥에 놀라 하마터면 그대로 주저앉을 뻔했다. 곁의 포쾌들이 재빨리 그를 부축해 일으켜 세웠다.

바람에 휘날리는 불길을 바라보는 학여춘의 수염이 부들부들 떨리고 있었다.

이건 좌천이니 파면이니 하는 문제가 아니었다. 자칫 잘못하다가는 성도부 전역이 불길에 휩싸일 수가 있었다. 어떻게든 빨리 불길을 가둬 잡아야 했다.

"다들 멍하니 서 있지 말고 물을 길어 오라! 멸화군을 도와 저 불길을 잡아라!"

학여춘은 포두와 포쾌들을 향해 소리쳤다. 입을 벌린 채 거대한 화마를 지켜보던 관원들은 깜짝 놀라 허둥지둥 움직이기 시작했다.

하지만 관원들이 동원되어봤자 크게 도움이 되지는 않았다. 물을 길 수 있는 나무 물통은 한정되어 있었으며, 물을 끌어와 사용하는 용수관(用水管)도 거리의 한계가 있었다. 외려 시간이 갈수록 물이 부족해졌고, 불길은 점점 더 사나워졌다.

"빌어먹을! 빌어먹을!"

학여춘은 어울리지 않는 욕설을 계속해서 퍼부었다.

아무리 머리를 굴려도 좋은 방도가 떠오르지 않았다. 비라도 쏟아지지 않는 한 절대로 잡히지 않을 것 같은 불길이었다. 사람들이 물을 끼얹을 때마다 그 불길은 더욱 크게 타오르고 있었다.

"추관 나리!"

누군가 멀리서 그를 소리쳐 불렀다.

"무슨 일이냐?"

학여춘은 돌아보지도 않고 물었다. 포쾌 한 명이 거칠게 숨을 몰아쉬며 달려오더니, 제대로 인사조차 하지 않은 채 입을 열었다.

"불이 났습니다!"

"그걸 누가 모르느냐? 지금 네 앞에 보이는 게 불이 아니고 뭐란 말이냐?"

"그, 그게 아니라 영화객잔에서 불이 났습니다."

일순 학여춘이 눈이 튀어나올 것처럼 커졌다.

"뭐야?"

포쾌는 숨을 몰아쉬며 말했다.

"객잔 사람들과 그곳에 묵고 있는 손님들이 힘을 합쳐 불을 끄려 하는 중이랍니다."

“그래서? 불길은 잡았다고 하더냐?”

“아뇨. 아직 활활 타오르고 있다고 합니다.”

“이런 제기랄!”

학여춘은 아무렇게나 발길질을 하며 욕설을 퍼부었다. 심지어 허공에 대고 주먹질까지 했다.

“도대체 이게 무슨 일이냔 말이다! 성도부를 아예 모두 불태울 작정인 게더냐!”

학여춘은 누구에게라고 할 것 없이 고래고래 소리쳤다. 포쾌는 고개를 숙인 채 그의 눈치를 살피다가 힘겹게 입을 열었다.

“영화객잔에 묵고 있던 자들은 무림의 명문가인 철목가 사람들이라고 합니다.”

“그러니까 그게 문제란 말이다!”

학여춘은 버럭 소리쳤다.

“분명 이 화재는 무림인들과 관련이 있을 게다! 어쩌면 자기네들끼리 싸우다가 불을 일으켰을 수도 있고, 아니면 아예 작정하고 방화했을 수도 있다! 이 모든 건 무림인들의 짓인 게다!”

평소의 점잖고 차분하던 성격과는 달리 지금 학여춘은 불같이 화를 내고 있었다.

하지만 그를 잘 아는 주변 사람들은 놀라거나 당황하지 않았다. 그들은 과거 포두 시절의 학여춘이 얼마나 불같은 성정을 지녔는지 익히 잘 알고 있었다.

"진짜 성질 같아서는 모든 무림인을 옥에 가둬서 두 번 다시 햇빛을 보지 못하게 만들 텐데."

학여춘이 그렇게 투덜거릴 때였다.

이 성도부 밤거리에 홀연히 수백 명의 무리가 갑자기 모습을 드러냈다. 그들은 묘령의 여인의 지시에 따라 불길 주변에 있는 집채들을 부수기 시작했다.

학여춘이 깜짝 놀라 그곳으로 달려갔다. 여인은 학여춘을 알아보고 방긋 웃으며 인사했다.

"학 추관 나리 아니세요?"

학여춘도 이내 그녀를 알아보았다. 그는 인상을 찡그리며 말했다.

"십삼매가 여기는 웬일이오?"

"웬일이기는요. 불이 났으니 끄러 온 거죠. 저쪽에도 물을 뿌려."

십삼매는 학여춘과 대화를 하는 중간 중간, 그녀와 함께 온 무리에게 일일이 지시를 내렸다.

학여춘이 답답하다는 듯이 재차 물었다.

"불을 끄러 왔다면서 집채는 왜 부수는 것이오?"

"그야 불길을 가두기 위해서죠."

십삼매는 방긋 웃으며 말했다.

"원래 불이란 땔감이 있어야 피어오르는 법, 저 불길도 더 이상 잡아먹을 게 없으면 세력을 넓히지 못한답니다. 그래서 불길이 번지기 전에 미리 집채를 부수고 그 위에 잔뜩 물을 뿌리면, 불길이 그곳으로 더는 나아가지 못하거든요."

"으음."

모르는 이야기는 아니었다. 특히 멸화군이나 의용금화대의 사람들이라면 대부분 익히 알고 있는 이야기였다.

하지만 불길을 가두기 위해 애꿎은 집을 부수는 건 최후의 수단이고, 또 최고 권력자의 허락을 받아야 가능한 일이었다.

그런데 지금 십삼매는 성도부 지부의 허락 없이 그녀 마음대로 일을 저지르는 중이었다.

학여춘은 잠시 입을 다물고 주변을 둘러보았다. 십삼매와 함께 온 수백의 무리는 대부분 무공의 소유자인 듯했다. 순식간에 물지게 가득 물을 떠 오고, 또 순식간에 건물 한 채를 분해하듯 부쉈다.

학여춘은 그 광경을 물끄러미 지켜보다가 불쑥 입을 열었다.

"불이 진압되면 그때 따로 죄를 물을 것이오."

십삼매는 가만히 웃으며 말했다.

"그래요. 불길을 잡는 게 우선이지요."

그녀는 다시 사람들에게 지시를 내렸다. 심지어 멸화군

이나 의용금화대는 물론, 포쾌들까지 그녀의 지시에 따라 움직이기 시작했다.

건물을 부수고 물을 뿌리기를 얼마나 반복했을까. 불길은 더 이상 번지지 않았다. 바람이 세차게 불어도 불길은 부서진 건물과 물로 이뤄진 그 경계를 넘지 못했다.

그렇게 불길을 가두게 되면서 불을 잡는 일은 더욱 빠르게 진척되었다. 십삼매의 사람들은 밤하늘을 휙휙 날아다니면서 물을 길어 왔고, 멸화군과 의용금화대도 더욱 힘을 내서 불길을 잡았다.

시간은 계속해서 흘렀고, 물은 쉬지 않고 뿌려졌다. 드디어 불길이 약해지기 시작했다. 더 이상 잡아먹을 것이 사라진 불길은 연신 쏟아지는 물세례에 점점 쪼그라들었다.

잠자코 지켜보고 있던 학여춘이 등을 돌렸다. 그리고 부관들을 불러 새로운 지시를 내렸다.

"이곳은 그만하면 된 것 같다. 너희들은 멸화군과 함께 영화객잔으로 가야겠다."

아직 소식을 듣지 못한 부관 하나가 물었다.

"영화객잔은 무슨 일로 가는 겁니까?"

학여춘이 인상을 찡그리며 말했다.

"그곳의 불길을 잡으러 가는 게다."

부관을 비롯한 사람들의 얼굴이 일그러지는 순간이었다.

기나긴 밤이었다.

새벽이 밝아 오는 동안 수백, 수천 명이 꼬박 밤을 새우며 분투했다. 그 결과였다, 불길이 잡힌 것은.

천수호동과 주변 일대의 모든 것을 새까맣게 태운 불길 대부분이 소멸되었다. 군데군데 아직 꺼지지 않은 불길이 조금씩 남아 있기는 했지만, 의용금화대가 한 번 움직일 때마다 그 불길들은 소리 없이 자취를 감췄다.

이윽고 모든 불길을 잡은 의용금화대가 고맙다는 인사를 하기 위해서 심삽매를 찾았을 때는 이미 함께 온 수백 명의 무리와 함께 온데간데없이 사라진 후였다.

3. 먼 길

"어라, 여기도?"

위천옥의 눈이 커졌다.

방금 도착한 객잔, 그곳도 거센 화마에 휩싸여 있었다.

객잔 주변은 불을 끄는 사람들, 불을 피해 도망치는 사람들, 그리고 뒤늦게 천수호동에서 이곳으로 퇴각해 온 무사들로 가득 차 정신을 차릴 수 없었다.

"허 영감 말고 또 누가 화공을 생각했나 보네."

위천옥이 키득거렸다.

"정말 오래 살고 볼 일이라니까. 누가 그런 엉뚱한 생각을 또 할 수 있을까?"

위천옥이 즐거워하는 것과는 달리 허 노야의 안색은 딱딱하게 굳어 있었다. 누군가 자신을 따라 화공을 펼쳤다는 것보다는, 허 노야보다 한 걸음 앞서 이곳 철목가 본진에 타격을 준 자가 있다는 게 그의 심기를 건드리고 있었다.

"누군지는 모르겠지만 그들도 철목가 가주를 노리고 왔던 거지?"

위천옥이 웃으며 물었다. 허 노야는 잠시 생각하다가 길게 한숨을 쉬며 말했다.

"성도부에서 우리 말고 이런 행동을 할 수 있는 사람은 강만리, 그 고약한 녀석뿐입니다."

"강만리?"

위천옥이 고개를 갸웃거리자 허 노야가 부연 설명을 했다.

"왜, 일전에 말씀드렸던, 무림오적이라는 자들의 우두머리 격인 녀석입니다. 무공은 형편없지만 나름대로 머리는 잘 굴리는 놈입니다."

"아, 들어 본 기억이 있다. 무림오적이라고 했지? 그럼 아까 지붕 위에서 우리를 훔쳐보던 자들도 무림오적인 건가?"

"네? 그런 적이 있었습니까? 아니, 그런 사실을 왜 말씀해 주지 않으셨습니까?"

"어라? 허 영감은 눈치채지 못했어? 나는 다 알고 있다고 생각했지. 설마 그 정도 기척도 눈치채지 못할 줄은 몰랐네. 미안. 내가 너무 허 영감을 과대평가한 것 같아."

"으, 으음. 그건 그렇고 도대체 몇 명이 우리를 훔쳐보고 있었습니까?"

"세 명. 한 명은 청년이었고 두 명은 늙은이들이었어."

위천옥의 이야기에 허 노야는 잠시 머리를 굴렸다. 하지만 그들이 누구인지 명쾌하게 떠오르지 않았다. 허 노야는 이내 고개를 홰홰 흔들며 말했다.

"어쨌든 정 가주를 죽이러 가죠."

"살아 있을까?"

"네?"

"이곳에 불을 지른 작자들이 벌써 그를 죽이지는 않았을까 하는 말이야."

"네? 설마요."

허 노야는 피식 웃으며 말했다.

"강만리 따위들이 천하의 철목가 가주를 죽인다고요? 에이, 놈들에게는 절대 그럴 만한 능력이 없습니다. 그저 불만 지르고 도망쳤겠지요."

"흠, 그럴까?"

위천옥은 팔짱을 끼며 웃었다. 그의 귀가 쫑긋거렸다. 객잔 별채의 중심부, 그곳에서 터져 나온 비명과 고함을 듣고 있는 것이다.

허 노야도 뒤늦게 그 사실을 알아차리고는 정신을 집중하고 귀를 기울였다. 일순 그의 얼굴이 딱딱하게 굳어졌다. 비록 거리가 있어서 희미하고 가늘게 들리기는 하지만 그래도 분명하고 확실하게 들을 수가 있었다.

"가주! 이렇게 돌아가시다니, 믿을 수가 없습니다!"

"반드시 복수하겠습니다! 내 이 두 귀로 똑똑히 들었으니까요! 사선행자라고 하셨죠? 무적가의 사주를 받았다고 하셨죠? 본가로 돌아가서 다른 가문들과 연계하여 반드시, 무적가를 멸문시키겠습니다! 항조군의 이름을 걸고 맹세합니다!"

엉엉 울며 오열하는 소리, 아무렇게나 마구 내지르는 절규 사이로 그 항조군이라는 자가 절절하게 외치는 소리가 확실하게 허 노야의 귀에 들어왔던 것이다.

"미, 믿을 수 없는 일이군. 그 멧돼지 같은 녀석이 철목가 가주를 살해하다니 말이야."

허 노야는 고개를 설레설레 흔들며 중얼거렸다.

"뭐 재미있게 되었으니까 좋아."

위천옥이 웃으며 말했다.

"생각보다 오대가문의 가주라는 게 별 볼 일 없다는 걸 알게 된 부분도 마음에 들어. 참, 무림오적이라는 자들, 우리 편이라고 했지?"

"네. 소야의 대장정(大長征)을 받쳐 줄 자들이지요."

"흠. 내 발판으로 하기에는 생각보다 괜찮은 실력을 가진 것 같은데. 이른 시일 안에 얼굴들 좀 보자고 전해 줘."

"허허, 소야께서 흥미가 있으실 만한 자들이 아닙니다."

"흥미를 갖거나 말거나 하는 건 내 자유야. 그러니 딴소리하지 말고 자리를 만들어 보라고."

허 노야는 내키지 않는 얼굴로 대답했다.

"알겠습니다."

그때까지 묵묵히 서 있기만 하던 청노가 처음으로 입을 열었다.

"그럼 이곳 철목가 무사들은 어떻게 할까요?"

"내버려 둬."

위천옥은 이미 흥미를 잃었다는 듯 아무렇게나 손을 내저으며 말했다.

"졸지에 주인 잃은 불쌍한 수하들까지 모조리 죽일 정도로 인정머리 없는 건 아니니까."

'그래도 인정머리 없다는 건 알고 계시는군.'

청노는 그런 생각을 하며 말했다.

"백노가 생각보다 늦습니다. 날이 밝는 대로 제가 한번 찾아 나설까요?"

“응? 그렇군. 그래, 어째 한 사람이 보이지 않는다 싶었다.”

위천옥은 그제야 비로소 백노의 부재를 알게 되었다는 표정을 지으며 말을 이었다.

“청노는 내 옆에 있고. 혈노.”

위천옥이 서 있는 지면 아래에서 대답이 들려왔다.

“여기 있습니다.”

“그래. 혈노가 찾아봐 줘.”

“지금 당장 움직이겠습니다.”

“좋아.”

위천옥은 마음에 든다는 듯 씨익 웃었다.

“동료의 안위가 궁금하다면 이렇게 당장 움직여야지, 날이 밝는 대로 움직인다는 게 뭐야?”

그의 말에 청노는 허리를 굽히며 사과했다.

“죄송합니다. 제 생각이 짧았습니다.”

“알면 됐고.”

위천옥은 기지개를 켜며 하품했다.

“아아, 오래간만에 하루 종일 움직였더니 꽤 피곤하네. 얼른 잠자리에 들어야겠어.”

허 노야가 얼른 말을 받았다.

“가까운 곳에 안가가 마련되어 있습니다. 그리로 모시겠습니다.”

위천옥이 눈살을 찌푸렸다.

"이번에도 그 시궁창 같은 곳이야?"

"아닙니다. 운치 좋고 풍광 뛰어난 곳에 마련된 장원입니다. 고요하고 한적해서 편히 쉬실 수 있을 겁니다."

"그럼 다행이네. 어서 안내해 봐."

"따라오십시오."

허 노야는 발길을 돌렸다. 위천옥과 청노, 그리고 루호 일행들까지 그 뒤를 따라 객잔에서 점점 멀어져갔다.

아직 가주를 잃었다는 사실을 모르는 철목가 무사들의 분투 덕분이었을까. 아니면 왕위 일행이 최소한의 불길만 일도록 조치를 취했기 때문이었을까.

객잔을 태우던 불길은 생각보다 쉽게 사그라들었다. 그리하여 학여춘이 멸화군을 이끌고 당도했을 때는 이미 대부분의 불길이 잡힌 후였다.

"젠장."

학여춘은 주변을 둘러보며 인상을 찌푸렸다. 철목가 무사들이 곳곳에 쓰러져 있는 모습이 영 그의 마음에 들지 않았다.

한바탕 칼부림이 있었던 것도 아닐 텐데, 이렇게 아무렇게나 나가떨어져 있는 그들의 모습이 실로 불쾌하고 추하게 느껴졌다.

그래서였다.

"돌아간다."

학여춘은 객잔 안의 상황을 확인할 생각도 하지 않은 채 사람들을 이끌고 다시 걸음을 옮겼다.

* * *

날이 밝았다.

어둠과 함께 모든 것을 불태워 버릴 것만 같던 불기둥도 자취를 감췄다. 불길이 휩쓸고 지나간 자리는 새카만 재만 남아 있었다.

사람들은 울었다. 살아남은 자들은 죽은 자들을 떠올리며 울었다. 살아남은 자들은 불에 탄 재산을 아쉬워하며 울었다. 그리고 살아남은 자들은 복수를 꿈꾸며 울었다.

철목가가 묵고 있던 객잔의 불길도 모두 잡혔다.

하지만 철목가 무사들은 마치 부모의 상을 당한 얼굴들을 하고 있었다.

가주가 목숨을 잃은 것이다. 비록 좋은 가주라고까지는 말할 수 없었지만, 그래도 자신들의 부모와 같은 존재였다.

낯이 어둡고 입이 무거워지고 눈시울이 뜨거워지는 건 너무나도 당연한 일이었다.

그들은 총관 항조군의 지시에 따라 동료들의 시신을 챙

기고 짐을 쌌다. 누구 하나 입을 여는 자가 없었다. 분위기는 한없이 가라앉았다.

한편 항조군은 인근 마장에 수소문해서 한 대의 팔두마차와 수십 대의 수레들을 구했다. 또한 발 빠르게 관(棺)을 마련하여 가주 정극신의 시신을 안치했다.

수레에도 시신들이 가득 쌓였다. 철목친위를 비롯해 어젯밤에 목숨을 잃은 자들이었다. 무적가와 싸우다 다친 부상자들도 수레에 올랐다.

모든 준비가 끝난 후 항조군은 퇴군의 명령을 내렸다. 다시 항주로 돌아가려는 것이었다. 올 때도 그랬지만 갈 때는 더더욱 먼 길이 될 것이다.

10장.

해야 할 일

한 번 크게 웃자 계속해서 웃게 되었다.
속이 뻥 뚫리고 몸속의 모든 묵은 것들이 한꺼번에 배출되는 듯한
기분이 들었다.
그래서 다시 또 크게 웃었다.

1. 상념(想念)

평소 코를 골지 않는 사람도 몸이 피곤하거나 정신적으로 지치게 되면 느닷없이 코를 골기도 한다. 하물며 평소 자주 코를 고는 사람이 피곤한 경우에는 집이 떠나갈 것처럼 드르렁거리는 소리가 요란해진다.

강만리도 예외가 아니었다. 그는 해가 중천에 뜰 때까지 쉬지 않고 코를 골았다. 견디다 못한 예예가 강정을 데리고 담우천의 거처로 피신할 정도였다.

담우천도 새벽에 돌아와 늦게까지 잠을 자고 있었지만 다행인지 그는 코를 골지 않았다. 덕분에 예예는 나찰염요, 소화와 더불어 수다를 떨며 시간을 보낼 수가 있었다.

강정은 이제 네 살이 되었고 제법 말도 할 줄 알게 되었다. 그는 두 살 위 형인 담창과 친형제처럼 지냈다.

이미 열세 살이 된 담호는 어느새 키가 훌쩍 자라서 담창이나 강정과는 상당한 차이가 났지만, 그래도 친절하고 다정하게 아이들을 돌봐 주었다.

그렇게 예예와 강정이 담우천의 유운각에서 시간을 보내고 있을 때, 귀가 먹을 정도로 크게 코를 골며 자던 강만리가 기지개를 켜며 자리에서 일어났다.

늘어지게 기지개를 켜던 강만리는 인상을 찡그렸다. 온몸이 찌뿌둥했다. 잠든 사이에 누군가 망치로 그의 전신을 두들긴 듯한 기분이었다.

어젯밤 탈진할 정도로 모든 내공을 한꺼번에 쏟아 낸 후유증이리라.

강만리는 침상에 앉은 채 곰곰이 생각에 잠겼다. 어젯밤의 광경들이 주마등처럼 뇌리를 스치고 지나갔다.

믿어지지 않는 일들의 연속이었다. 무엇보다 철목가 가주 정극신을 죽였다는 사실이 외려 이제 와서 쉽게 믿기지 않았다. 마치 꿈을 꾼 것만 같았다. 어제의 일들은 모두 꿈에서 이뤄진 것 같은 기분이 들었다.

"아니지."

강만리는 차분하게 중얼거렸다.

"확실히 정극신은 우리들 손에 의해 목숨을 잃었다."

강만리는 마치 선언하듯, 한 자 한 자 힘주어 말했다. 그리고 나서야 비로소 정극신을 죽인 게 실감이 났다. 강만리를 비롯한 무림오적이 저 오대가문 중 하나인 철목가의 가주를 죽인 것이다.

기분이 묘했다. 가슴이 두근거렸다. 어제의 다급하고 긴박(緊迫)했던 상황에서는 미처 느끼지 못한 감정들이 홍수처럼 밀려들었다.

"휴유."

강만리는 길게 숨을 내쉬며 마음을 다잡았다. 그리고는 자세를 고쳐 앉아 가부좌를 틀고 운기조식을 시작했다.

내공이 기맥을 타고 몸 전체를 휘감았다. 시간이 흐르면서 오액(五液)이 하단전에 모이고 오기(五氣)가 중단전에 자리를 잡더니, 이윽고 삼양(三陽)이 상단전에 똬리를 틀었다. 바로 삼화취정의 경지였다.

도(道)를 닦는 도사들에 의하면 그 오기가 조원(朝元)하고 삼양이 정수리에 모이게 되면 신(神)을 단련시킬 수 있다고 했다. 그리고 그 신이 순수한 양이 되어 몸 밖으로 나오게 되면 바로 신선에 오르게 된다는 것이다.

그런 설명에 따르자면 강만리는 신선이 되는 중간 단계에 접어들었다고 할 수 있었다. 아마도 도가 계열의 사람들이 지금 강만리의 운기행공을 지켜본다면 까무러치게 놀랄 게 틀림없었다.

이윽고 십이주천의 행공을 마친 강만리는 깊게 숨을 들이마셨다. 행공을 하는 동안 그의 주변에 머물고 있던 연기 같은 기체가 그의 코 속으로 쏙 빨려 들어갔다.

강만리는 천천히 눈을 떴다. 몸이 개운해지고 머리가 맑아졌다. 마치 깨끗한 개울물에서 목욕한 것처럼 정신이 바짝 들었다.

그는 옷을 갈아입은 후 처소를 빠져나왔다. 이미 해는 중천이었다. 어젯밤과 달리 바람은 부드럽고 시원했다. 지금 날씨만 보자면 확실히 봄인 듯싶었다.

강만리는 난간을 짚은 채 주변 경치를 둘러보았다. 조용하고 한가로운 광경이었다. 그 풍광을 지켜보면서 그는 많은 상념을 떠올렸다.

'이제 어떻게 하지?'

사실 할 일은 태산이었다.

정극신을 죽인 것으로 모든 게 끝난 게 아니었다. 오히려 이제부터 시작이었다.

철목가는 복수를 준비할 것이다. 다른 가문들도 이제 무림오적에 대한 대비를 철저하게 할 것이다. 어쩌면 최선의 방어는 공격이라고, 아예 우리를 철저하고 지독하게 찾으려 할 것이다.

'계속 이곳 성도부에 머물러야 하나?'

또다시 난감한 상황이 되었다.

무적가의 제갈원과 제갈보국을 죽인 이후로 끊임없이 고민하고 갈등했던 그 사안이 다시 한번 화두가 되어 강만리를 괴롭혔다.

정극신이 성도부에서 목숨을 잃었다. 당연히 모든 적들의 시선이 성도부에 집중될 것이다. 차라리 서안이나 아니면 동정호 쪽으로 숨어 들어가는 게 낫지 않을까.

이 화평장이 있는 주변 일대를 모두 사들여 주변 장원에 수하들을 기거하게 하고, 버드나무길 전체에 결계를 치고 진법을 갖춘 것만으로 저들의 이목을 속일 수 있을까?

불안했다. 여전히 예예와 강정의 안전을 확신할 수 없었다.

게다가 강만리의 가족이 전부가 아니었다. 의형제들의 부인과 자식들도 보호해야 했다. 우리가 마음 놓고 싸우려면 무엇보다 그들의 안전이 최우선되어야 했다.

지금 이 공간은 과연 안전할까.

강만리는 고개를 흔들었다.

여전히 난감하고 결정하기 힘든 숙제였다.

'나중에 다시 사람들과 이야기를 나눠 봐야겠다.'

강만리는 그렇게 과제 하나를 뒤로 미뤘다.

'태극천맹과의 관계는?'

여전히 중요했다. 목숨을 나눈 형제의 관계까지는 아니더라도 태극천맹의 맹주 정문하는 충분히 신뢰할 만한 인물이었다.

게다가 태극천맹에는 정유가 있었다. 만에 하나 정문하가 배신을 하더라도 정유가 어느 정도 방파제가 되어 줄 것이다. 다른 사람은 몰라도 정유에게는 그만큼의 신의와 믿음이 있었다.

'하지만 그건 이미 옛이야기가 된 건 아닐까? 제 부친을 살해한 우리에게 과연 아무런 악감정이 없을까?'

그럴 수도 있었다.

비록 자신은 관계없다고 아무 상관도 없다고, 이미 남이 된 지 오래라고는 하지만 그래도 부친이었다. 정극신은 정유에게 자신의 피를 물려주었다. 그 한 가지만으로도 정유가 복수를 생각할 가능성이 없지 않았다.

'정유와 한번 이야기를 나눠 봐야겠구나.'

한 가지 우선하여서 해야 할 일이 정해졌다.

'참, 불길은 어떻게 되었을까?'

어젯밤 워낙 일이 중하다 보니 미처 신경 쓰지 못한 부분이었다.

물론 무적가 무사들이 묵는 객잔의 경우에는 양위가 불이 크게 번지지 않도록 최대한 주의하고 신경 써서 건물을 폭파하고 방화했지만, 천수호동 쪽의 불길은 쉽게 잡힐 불길이 아닌 듯싶었다.

어쩌면 아직도 진화되지 않은 채 시뻘건 불길을 토해

내고 있을지도 몰랐다.

'양 당주에게 한번 알아보라고 해야겠구나.'

두 번째 해야 할 일이었다.

강만리는 계속해서 머리를 굴렸다. 온갖 상념이 머릿속을 떠돌던 와중에 한 가지 생각이 자리를 잡았다.

'무공이 부족하다.'

이건 절실했다.

정극신과 싸우면서 절절하게 깨달은 문제였다.

지금 강만리가 익힌 것들은 모두 십삼매가 전해 준 책자에 있던 무공들이었다. 물론 그 무공들은 나름대로 충분히 강하고 상당한 위력을 지니고 있었다.

하지만 그건 어디까지나 일반 무림인들을 상대할 때나 그렇다는 것이었다. 정극신처럼 최절정의 고수와 싸울 때는 한없이 부족해 보이는 무공이기도 했다.

기실 십삼매는 공적십이마와 그에 버금가는 사마외도의 고수들에게 부탁하여 강만리가 조금 더 쉽고 빠르게 익힐 수 있도록 그들의 무공을 단순화시켜서 책자에 적었다.

그러니 기존 그들의 무공의 위력보다 훨씬 더 부족하고 빈약한 게 당연했다.

'애당초 공적십이마나 구천십지백사백마들은 오대가문의 가주들에게 패퇴한 인물들이 아니던가.'

오대가문의 가주들에게 패배한 자들의 무공. 그것도 기

존에 비해 절반도 채 되지 않는 위력을 지닌 무공. 그것으로 어떻게 오대가문의 가주들을 상대할 수 있을까.

'내공만이라면 나도 제법 괜찮은 경지에 올랐다고 담 형님께서 보증하셨으니.'

남은 건 그 내공을 효율적으로, 그리고 완벽하게 이용할 수 있는 상승무공을 익히는 일이었다.

지금 강만리의 장력은 무공이 아니었다. 그저 내공을 한껏 끌어올려 손바닥을 통해 들이붓는 형식에 불과했다. 언젠가 들은 적이 있던 [금강류하]라는 무공은 더더욱 아니었다.

'장공(掌功)이 필요하다. 정극신이 쉬지 않고 지풍을 날렸던 것처럼, 두 손으로 번갈아 쏘아 댈 수 있는 장공이 필요하다. 그리고…… 봉법(棒法)도 익혔으면 좋겠군.'

강만리는 자신의 애병 야우린을 떠올렸다.

사실 그가 야우린을 가지고 펼치는 수법 역시 제대로 된 무공이 아니었다. 그저 감당할 수 없는 내력을 실어서 마구 패고 치고 때리는 것에 불과했다.

물론 무적가의 장로급 인사들은 단지 그 무지막지한 공격을 감당하지 못하고 목숨을 잃기는 했지만.

상승무공을 익힌다. 그게 강만리가 세 번째로 해야 할 일이었다.

'그리고 또 다른 게…….'

계속해서 강만리가 머리를 굴리려 할 때였다.

월동문 밖에서 양위가 달려오는 모습이 언뜻 그의 시야에 들어왔다.

'일이 생겼나?'

강만리는 상념을 멈추고 그가 오기를 기다렸다. 월동문을 지나 정원을 가로질러 순식간에 화평각에 당도한 양위는 허리를 숙이며 말했다.

"일어나셨습니까?"

강만리는 멋쩍은 표정을 지으며 말했다.

"늦잠을 잤소. 그래, 무슨 일이라도?"

"아, 손님이 와 계십니다."

"손님?"

강만리가 고개를 갸우뚱거리며 물었다. 양위의 대답이 바로 이어졌다.

"학 추관 나리께서 위정전에서 기다리고 계십니다."

"학 추관께서?"

강만리의 눈이 동그랗게 변했다.

2. 웃음소리

'아직 한없이 부족하구나.'

처소 밖 객청에서는 아이들 웃음소리가 까르르 들려왔다.

강만리의 코 고는 소리에 행여 경기라도 들까 봐 예예가 아들을 데리고 이곳으로 대피했다고 했다. 도대체 얼마나 코 고는 소리가 시끄러웠기에 그랬을까.

보보가 웃는 소리가 유난히 크게 들려왔다. 제 오빠들인 담호나 담창보다 강만리의 아들 강정과 노는 게 더 재미있는 모양이었다.

담우천은 좌정한 채 고개를 흔들었다.

아무래도 잡념이 너무 많은 게다. 만약 이게 참선(參禪)이었더라면 벌써 몇 대 맞았을지도 몰랐다.

'방심하고 자만한 게다, 그동안.'

담우천은 다시 생각에 집중했다.

지난날 무적가주를 해치운 후로 확실히 그는 방심하고 있었다. 물론 무적가주 제갈보국은 병상의 환자였다. 기존의 진신 실력을 제대로 펼칠 수 없는 병자였고, 담우천도 그 사실을 인지하고 있었다.

그래서 담우천은 제갈보국을 죽인 게 자신의 진짜 실력이 아니라고 생각했다.

하지만 시간이 흐르면서, 무적가의 고수들을 죽이고 철목가의 고수들을 암살하면서 담우천은 방심했고 자만에 빠지게 되었다.

일원검은 천하제일이다.

담우천은 부지불식간에 그렇게 생각하게 되었다. 지금의 실력만으로 천하제일을 논할 수 있다고 여겼다. 세상 그 누구도 자신의 검을 파훼할 수 없다고 믿었다.

하지만 어젯밤 정극신은 달랐다.

정극신은 담우천의 검을 막았다. 담우천의 일원검은 정극신의 생명을 빼앗지 못했다. 만약 강만리의 도움이 없었더라면, 그래도 정극신과의 승부를 자신할 수 있을까.

'아니, 알 수 없다.'

담우천은 다시 고개를 저었다.

지금 자신은 천하제일인이 아니었다. 세상에는 정극신 정도로 강한 인물들이 최소한 열 명은 되었고, 그보다 더 강한 인물도 여럿 손꼽을 수 있었다.

그중에서도 가장 먼저 떠오르는 이름이 있었다.

위천옥.

스무 살도 채 안 된 소년.

하지만 유령교와 황계를 비롯한 사마외도의 적극적인 후원을 받으며 성장한 괴물.

과연 그를 상대로 담우천은 지금의 일원검을 가지고 승리를 거둘 수 있을까.

담우천은 또 한 번 고개를 흔들었다.

'아니.'

자신이 없었다. 이길 자신이 없었다. 지금보다 몇 배는 더 성장하고 강해져야만 비로소 승산이 생길 것 같았다.

담우천은 냉정하게 자신의 일원검을 되돌아보았다.

일원검은 완벽하지 않았다.

아니, 일원검 자체는 완벽할 것이다. 단지 담우천이 완벽하게 연성하지 못했을 뿐이다. 이제 오륙 성의 경지, 겨우 그 정도 수준으로 천하제일을 운운했던 게다.

그러니 해야 할 일이 있었다.

오대가문의 또 다른 가주와 싸우기 이전에, 위천옥이라는 괴물과 맞닥뜨리기 전에 일원검의 수준을 지금보다 훨씬 더 높여야 했다.

'생각 같아서는 어디 폐관 수련이라도 했으면 좋겠는데…….'

사방이 탁 트인 곳에서 오감이 활짝 열린 상태로 하는 수련은 생각보다 성과가 크지 않는 법이다.

바깥과 단절되어 아무것도 보이지도 들리지도 않는 좁은 공간에 오감을 한곳으로 모아 집중한 채로 하는 수련이야말로 제대로 된 성과가 나왔다.

지금처럼 객청에서 아이들 웃는 소리, 여인네들 대화 나누는 소리가 쉬지 않고 들려오는 상황에서의 수련은 제대로 된 수련이 아닌 것이다.

'무적가는 이미 절반 이상의 전력을 잃었다. 본진도 상당한 타격을 받았을 것이다. 철목가는 가주를 잃었으니 재정비를 하기까지는 제법 적지 않은 시일이 필요할 테고.'

나머지 삼대 가문 역시 쉽게 움직이지 못할 것이다. 이 성도부라는 복마전(伏魔殿)에 어떤 괴물과 마두들이 숨어 있는지 확실하게 파악하지 못하는 이상, 결코 함부로 나서지 않을 게 분명했다.

'최소한 석 달, 길면 반년…….'

이번 전투의 결과로 인해 담우천을 비롯한 화평장 식구들에게는 그 정도의 시간이 주어진 셈이었다. 나름대로 부족한 실력을 메꾸고 조금 더 성장하기에 적절한 시간이었다.

'아무래도 강 아우와 상의해 봐야겠구나.'

담우천은 그렇게 결정했다.

객청에서 아이 우는 소리가 들려왔다. 보보의 울음소리였다. 뭔가 마음에 들지 않은 듯 삐쳐서 발버둥 치며 우는 보보의 모습이 절로 그려졌다.

담우천은 길게 한숨을 내쉬었다.

그는 정좌를 풀고 자리에서 일어났다. 해야 할 일이 결정되었으니 이제 마무리를 지어야 했다. 그는 강만리를 만나기 위해 방을 나섰다.

* * *

"음?"

처소 유운각을 나와 위정전으로 향하던 담우천의 눈빛이 살짝 흔들렸다. 맞은편에서 화군악과 장예추가 걸어오는 모습이 눈에 들어왔던 게다.

그들도 마침 담우천을 보았는지 활짝 웃었다. 화군악은 손을 흔들었고 장예추는 고개를 숙였다.

"담 형님!"

"어디 가세요?"

담우천은 그들이 가까이 오기를 기다려 대답했다.

"위정전에. 강 아우와 이야기할 게 있어서."

"그래요? 마침 우리도 위정전에 가는 길이에요."

"강 형님과 이야기할 게 좀 생겨서요."

화군악과 장예추의 말에 담우천은 가벼운 흥미를 느꼈다.

"무슨 이야기?"

"아, 그게요……."

화군악이 멋쩍은 듯 머리를 긁적거리며 입을 열었다.

"어제 장원으로 돌아오고 나서요. 예추와 잠깐 이야기를 나눴거든요. 사실 어제 싸움을 통해서 우리 실력이 생각보다 부족하다는 사실을 절감했어요."

가만히 듣고 있던 담우천의 입가에 희미한 미소가 스며들었다. 그들이 지금 무슨 생각을 하는지, 왜 강만리를 만나러 가는지 알 수 있었기 때문이다.

아, 나만 그런 생각을 하는 게 아니었구나.

다들 부족한 걸 깨닫고 어떻게든 보완하고 메꾸려 하고 있었다. 다들 제자리에 멈춰 있지 않으려는 게다. 보다 더 성장하고 발전하고 싶은 게다.

담우천이 홀로 그런 생각을 하는 동안에도 화군악의 이야기는 계속해서 이어지고 있었다.

"그래서 강 형님 피 좀 빼앗아 먹으려고요. 태양빙옥수와 공청석유가 함유되어 있는 피를 마시면 우리도 내공이 좀 늘지 않을까요?"

그런 엉뚱한 이야기에 담우천은 저도 모르게 피식 웃었다. 화군악도 웃었다.

"이야, 형님 웃는 모습 진짜 오래간만에 보네요."

"그런가?"

담우천은 여전히 미소를 지은 채 말했다. 장예추도 고개를 끄덕이며 대답했다.

"네. 저도 형님과 꽤 오래 함께했는데 이렇게 웃는 건 처음 보는 것 같아요."

"흐음, 내가 그리 웃음에 인색했나? 좋아. 앞으로는 자주 웃지 뭐."

"으응? 오늘 형님이 조금 수상한데요? 아침에 뭘 잘못 드신 겁니까, 아니면 형수에게 혼이 났다거나……."

"하하."

담우천은 웃었다.

한 번 크게 웃자 계속해서 웃게 되었다. 속이 뻥 뚫리고 몸속의 모든 묵은 것들이 한꺼번에 배출되는 듯한 기분이 들었다. 그래서 다시 또 크게 웃었다.

화군악과 장예추는 어리둥절한 표정을 지으며 서로를 돌아보았다. 하지만 곧 그들도 크게 웃기 시작했다. 이내 세 사람의 웃음소리가 사방으로 흩어졌다.

겨우 웃음을 멈추고 화군악이 물었다.

"그런데 형님은 왜요? 왜 강 형님을 만나려고요?"

"자네들과 똑같네."

담우천은 빙긋 웃으며 말했다.

"어제 싸움을 통해서 나 역시 내가 부족하다는 사실을 깨달았다네. 그래서 어떻게 하면 그 부족한 부분을 보완하고 더 성장할 수 있을까, 논의하려고."

"설마 형님도 강 형님의 피를 원하시는 건……."

"하하하. 강해질 수만 있다면 겨우 그깟 피 정도야."

다시 세 사람은 크게 웃었다.

3. 착하게 살아야 한다

강만리는 귀가 간지러웠다. 보이지 않는 누군가 자신의

이야기를 하는 것만 같았다. 그는 귀를 후비면서 천천히 위정전 대청으로 들어섰다.

넓은 대청의 중앙 탁자에는 학여춘과 두 명의 포쾌가 나란히 앉아서 차와 말린 과일을 즐기고 있었다.

강만리가 들어서자 젊은 포쾌들이 자리에서 벌떡 일어나 허리를 굽혔다.

"아, 앉게들."

강만리가 손을 저으며 탁자로 향했다. 그리고 학여춘에게 허리를 숙이며 말했다.

"오랜만입니다, 추관 나리."

학여춘은 인상을 쓰며 손을 저었다.

"자리에 앉게나."

강만리는 쓴웃음을 지으며 자리에 앉았다. 시녀가 다가와 찻잔을 내려놓고 차를 따라 주었다. 학여춘은 묵묵히 그 광경을 지켜보다가 시녀가 사라지자 불쑥 입을 열었다.

"호사를 누리는구먼."

"호사라니요. 요즘 세상에 시녀 한두 명 두지 않고 사는 사람이 어디 있습니까?"

강만리의 말에 두 명의 포쾌는 얼굴을 붉힌 채 고개를 숙였다.

"쓸데없는 소리 하지 말고."

학여춘의 말에 강만리는 처음으로 그의 얼굴을 가만히 바라보았다.

지금 이렇게 자세히 보니 학여춘의 모습은 실로 가관이었다. 잠도 제대로 자지 못한 듯 얼굴은 푸석푸석했고 눈빛은 퀭했으며, 눈 밑에는 마치 웅묘(雄猫)가 되기라도 한 듯 검은 그림자가 내려앉아 있었다.

관복은 제대로 빨지도 않은 듯 추레했고 검은 먼지가 다닥다닥 붙어 있었으며, 관모 또한 시커먼 재가 한가득 내려앉아 있었다.

그제야 강만리는 학여춘이 밤새 무슨 일을 했는지 알 것 같았다.

'천수호동의 불길을 잡으려고 밤을 지새우셨나 보다.'

강만리는 그런 생각을 하면서 천천히 입을 열었다.

"불길은 잡으셨습니까?"

학여춘은 잠시 강만리를 노려보다가 포쾌들을 돌아보며 말했다.

"잠깐 너희들은 나가 있거라."

포쾌들은 자리에서 일어나 학여춘과 강만리에게 인사를 한 다음 대청 밖으로 나갔다. 단둘이 남게 되자 학여춘은 길게 한숨을 내쉰 후 말을 꺼냈다.

"네가 한 짓은 아니렷다?"

강만리는 눈을 동그랗게 뜨며 되물었다.

"뭘요?"

"천수호동의 불 말이다."

"아, 물론이죠. 제가 왜 불을 지릅니까? 어린아이도 아니고."

"그럼 영화객잔의 불은?"

"그것…… 도 제가 한 게 아닙니다. 불장난하면 밤에 오줌 싼다고, 돌아가신 어머님께 누누이 들어서 말이죠."

"거짓말이면 아무리 네 녀석이라고 하더라도 절대 용서하지 않겠다."

"물론입니다. 제가 왜 다른 사람도 아닌 추관 나리께 거짓말을 하겠습니까?"

"흠. 그럼 됐다."

학여춘은 다시 길게 한숨을 내쉬었다. 하지만 처음보다는 표정이 조금 풀린 것이, 역시 방화의 주범이 강만리가 아니라는 말이 그를 안도하게 만든 모양이었다.

강만리는 내심 양심의 가책을 느끼면서 입을 열었다.

"그래도 예까지 오신 걸 보니 불길은 잘 정리된 모양입니다. 하기야 성도부 멸화군이나 의용금화대 녀석들이 워낙 노련하니까요."

"그들보다 십삼매의 공이 더 컸다."

"네? 십삼매가 왜요?"

"그녀가 황계 사람들을 수백 명 데리고 나와서 불길을

잡았다."

학여춘은 말린 과일을 먹고 우물거리면서 말을 이었다.

"그건 그렇고 무림인들이라는 게 직접 눈앞에서 보니까 정말 대단하더구나. 십삼매가 데리고 온 자들 대부분이 하늘을 날아다니고 또 한 주먹에 집 한 채를 박살 내더라니까."

강만리는 묵묵히 학여춘의 이야기를 들었다.

한동안 꼭꼭 숨어 있던 십삼매가 다시 모습을 드러낸 건 우연일까. 무적가가 패퇴하고 철목가의 가주가 죽은 후 활동을 재개했다는 게 꽤나 의심스러웠다. 거기에 위천옥의 등장까지 붙여서.

"어쨌든 네가 아니면 됐다. 실은 행여라도 네놈이 불을 질렀으면 어떻게 하나, 하고 걱정했으니까."

"아휴, 제가 무슨 그런 짓을 하겠습니까?"

"그래. 그래야지. 착하게 살아야 한다."

"네. 착하게 살겠습니다."

"그건 그렇고…… 그럼 돈이나 내놔라."

학여춘의 갑작스러운 말에 강만리의 눈이 휘둥그레졌다.

"돈이라니요? 제게 맡겨 둔 돈이 있으셨습니까?"

"뭔 소리야? 내가 왜 네 녀석에게 돈을 맡기누?"

학여춘은 가볍게 눈살을 찌푸리며 말을 이었다.

"이번 불길을 낸 자는 분명 무림인일 게다. 아마도 철목가 놈들이 분명하겠지. 요 근래 계속해서 뭔가를 찾는다고 성도부 곳곳을 뒤지고 다녔으니까."

강만리는 저도 모르게 움찔거렸다. 자신을 쳐다보는 학여춘의 눈빛이 왠지 의미심장하다는 느낌을 받은 것이다.

"그러니까 너도 무림인의 한 사람으로서 이번 화재에 일말의 책임을 져야 하는 게다. 그러니 화재 복구금으로 적당한 돈을 기부하도록 해라."

"아니, 제가 언제부터 무림인이었답니까? 저는 그저 평범한 전직 포두로……."

"바깥 현판의 무림포두라는 글자는 뭐냐?"

"아, 그건……."

"됐으니까 긴말하지 말고 돈이나 주라. 많은 돈도 바라지 않으니까. 은자 천 냥 정도만 기부하면 된다. 뭐 이 장원을 보아하니 은자 천 냥 정도야 우습게 낼 수 있을 것 같은데."

학여춘은 대청 곳곳을 둘러보며 말했다. 강만리는 길게 한숨을 내쉬었다.

'쳇, 하여튼 억지는 여전하시다니까.'

세상에서 그를 꼼짝하지 못하게 만드는 사람이 셋 있었는데 학여춘이 바로 그중 한 명이었다.

"어쩔 수 없죠, 추관 나리께서 그리 말씀하시는데. 그럼 잠깐만 기다리십시오."

강만리는 양위를 불러 뭔가 지시를 내렸다. 양위는 서둘러 밖으로 나갔다가 얼마 지나지 않아 되돌아왔다.

"여기 있습니다."

양위가 조심스레 건넨 건 은자 백 냥짜리 전표 한 다발이었다. 강만리가 손에 침을 묻혀 가며 전표를 세려 할 때, 학여춘이 손을 뻗어 전표 다발을 확 낚아챘다. 그리고는 대충 절반 정도 빼서 챙기고 남은 다발을 강만리에게 건네주며 말했다.

"좀스럽게 세기는 뭘 세? 이 정도면 됐다."

강만리가 어이없다는 표정을 짓자, 학여춘은 눈살을 찌푸리며 말했다.

"다시 한번 말하는데 착하게 살아야 한다."

강만리는 한숨을 쉬며 말했다.

"이렇게 선량한 백성의 돈을 함부로 강탈하시면서 제게 착하게 살아야 한다고 하는 겁니까, 지금?"

"나는 관원이지 않느냐? 원래 관원은 다 이런 법이다. 잘 알고 있으면서 무슨 생뚱맞은 소리를 하고 있느냐?"

학여춘은 끄응, 하며 자리에서 일어났다. 강만리도 황급히 따라 일어섰다.

"벌써 가시게요? 식사라도 하고 가시죠."

"됐다. 네 그 징글징글한 얼굴을 보며 밥을 먹느니 똥간에 앉아서 혼자 밥 먹는 게 훨씬 낫겠다."

"하하, 말이 조금 걸어지셨습니다."

"다 네놈 때문이다. 네놈이 요상망측한 부탁을 한 다음부터 점점 더 일이 꼬이고 있다."

강만리는 학여춘에게 무적가 총관을 만나 달라고 부탁을 한 적이 있었다.

당시 학여춘은 무림인들의 일에 자신이 관여하게 되는 걸 께름칙하게 생각했지만, 결국 강만리의 부탁을 들어주었다. 그 와중에 강만리가 생각보다 훨씬 크고 위험한 일을 하고 있다는 사실을 직감적으로 느꼈던 것이다.

사실 학여춘이 굳이 불길을 잡자마자 이렇게 일찍 강만리를 찾아와 닦달하는 것 역시 바로 그때 느꼈던 직감 때문이기도 했다.

또한 학여춘은 강만리가 지금 이렇게 완강하게 아니라고 잡아떼고는 있지만 그래도 이번 일에 어느 정도 연류되어 있음을 눈치채고 있었다.

그래서였다. 몇 번이나 계속해서 착하게 살아야 한다, 라고 말한 까닭은.

"그럼 난 간다. 아, 밖의 애들에게도 용돈 좀 쥐여 줘라."

"아니, 아까 챙기신 걸로도 부족합니까?"

"그건 기부금이라니까, 화재에 대한."

학여춘은 당당하게 말했다. 강만리는 연신 투덜거리면서 그의 뒤를 따라 대청 밖으로 나섰다. 강만리를 본 포쾌들이 재차 인사했다. 강만리는 그들에게 전표 한 장씩 나눠 주며 말했다.

"가서 동료들과 술 한잔씩 하게."

포쾌들은 활짝 웃으며 다시 허리를 숙였다.

"고맙습니다, 강 포두…… 아니, 강 장주."

"그럼 난 가네. 나오지 말게나. 아니, 뭣들 하고 있는 게냐? 썩 따라오지 않고!"

학여군은 강만리 곁에서 떨어질 생각을 하지 않는 포쾌들에게 성을 냈다. 포쾌들이 후다닥 그에게로 달려갔다.

"그럼 멀리 안 나갑니다."

학여군 일행은 강만리의 인사를 뒤로 하고 양위의 안내를 받아 화평장을 나섰다.

강만리는 잠시 그 뒷모습을 가만히 지켜보았다. 멀어져 가는 학여춘의 등이 유난히 굽은 것처럼 느껴졌다.

"음? 누가 왔었습니까?"

마치 학여춘 일행과 교대라도 하듯이 화군악과 장예추, 담우천이 걸어왔다.

강만리는 그들을 보며 되물었다.

"웬일이야, 셋이서 함께?"

화군악이 웃으며 말했다.

"형님과 논의할 게 있어서요."

"세 사람 다?"

"네."

"그래? 희한한 일일세. 그럼 안으로 들어가자고."

강만리는 다른 형제들과 함께 다시 대청 안으로 들어섰다.

그때였다.

학여춘 일행을 배웅 나갔던 양위가 다시 빠르게 대청으로 들어섰다. 막 탁자 자리에 앉던 강만리는 불안한 표정을 감추지 못하고 입을 열었다.

"이번에는 또 무슨 일이오?"

양위가 손을 내밀며 말했다.

"초대장이 왔습니다."

"초대장?"

강만리는 양위가 건네는 붉은 배첩(拜帖)을 들어 그 겉면에 적힌 이름을 확인했다.

이내 그의 얼굴이 일그러졌다.

배첩에는 그가 원하지 않던, 만나고 싶지 않던 사람의 이름 석 자가 적혀 있었다.

허신방

바로 허 노야의 본명이었다.

(무림오적 31권에서 계속)

환상이 숨쉬는 공간 파피루스 www.ipapyrus.co.kr
천마의 집사가 되었다
ROHRAN 현대판타지 장편소설
『레벨만 높으면 다냐』『회귀하고 더 강해진다』의 작가
ROHRAN이 전하는 새로운 이야기!
게이트가 범람하는 시대
그 속에서 하루하루를 살아가던
만년 하꼬 헌터 최범준
무림을 평정한 천마의 제자가 되다!
한데, 스승님이 상태가!?
"스승님, 츄르입니다!"
–골골골골!
고양이 천마, 집사 최범준
유쾌한 두 사제의 행보가 지금 시작된다!

환상이 숨쉬는 공간 파피루스 www.ipapyrus.co.kr
武士正天
무사정천
백 년 후의 내가 나를 찾아왔다
사신이라 불리는 악인이 되어서
천봉 신무협 장편소설
더러운 일을 대신 처리해 주며
변화 없는 삶을 살아가던 삼류 무사, 이정천
죽음을 목전에 둔 그때,
천하를 호령하던 힘이 시간을 격하고
그에게 스며드는데……
"이제부터 시작인 거다.
나와 저 친구들의 삶은."
잠들어 있던 무재가 깨어난 순간,
중원에 새로운 하늘이 드리운다!